À Diane, Mattéo et Élio...

F. M.

Le grand Livre des Énigmes

Fabrice Mazza

Sylvain Lhullier

Illustrations d'Ivan Sigg

Marabout

SOMMAIRE

HILTRE D'AMOUR

Merlin doit préparer un philtre d'amour pour le roi Arthur. D'après son grimoire, il faut 4 dl d'huile de crapaud.

Pour mesurer, l'enchanteur ne dispose que de deux pots non gradués, l'un d'une contenance de 5 dl, l'autre de 3 dl.

Comment peut-il mesurer 4 dl ?

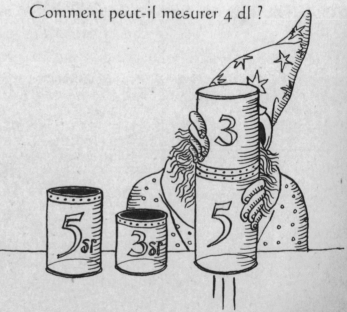

Solution p. 238

E L'EAU DANS SON VIN

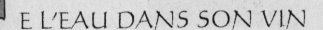

On dispose de deux chopes parfaitement identiques ;
l'une contient 15 cl de vin, l'autre 15 cl d'eau.

On remplit une cuillère prélevée dans la chope d'eau
et on la vide dans la chope de vin avant de bien
mélanger le tout.

Ensuite, on remplit la même cuillère prélevée dans
cette dernière chope et on la vide dans la première.

Il y a donc à nouveau 15 cl de liquide dans chacune
des deux chopes.

Y a-t-il plus d'eau dans le vin, ou de vin dans l'eau ?

Solution p. 239

OURSE CYCLISTE

Lors d'une course de draisiennes, Roland double
le deuxième, puis, alors qu'il approche de la ligne d'arrivée,
il se fait dépasser par deux rivaux sur leurs bicyclettes
en bois. À quelle place termine-t-il ?

8

Solution p. 240

LOCHES

Quasimodo, le sonneur de cloches
de Notre-Dame de Paris,
met trois secondes pour sonner
quatre heures.
Combien de temps mettra-t-il
pour sonner midi ?

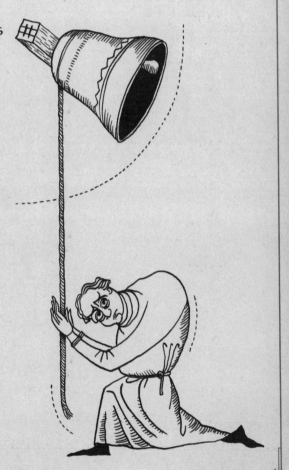

Solution p. 241

RIANGLE À TROUS

Complétez ce triangle de manière que le nombre inscrit dans chaque case soit égal à la somme des deux nombres inscrits dans les deux cases juste en dessous de celle-ci.

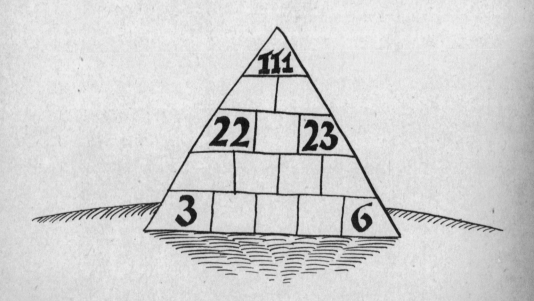

Solution p. 242

 ASSE-TÊTE

Pouvez-vous placer les cinq lettres A, B, C, D et E dans ce carré afin qu'aucune lettre ne soit répétée sur une même ligne, ni dans une même colonne ni en diagonale ?

Solution p. 243

LETTRENRÉBUS 1

Hector est sceptique face
à ce message qu'il doit
décrypter.
Saurez-vous l'aider ?

Solution p. 244

12

 ETTRENRÉBUS 2

Quelle expression se cache derrière
ce dessin ?

PEURMALPEUR
MALPEURMAL
PEURMALPEUR

Solution p. 245

LIEN DE PARENTÉ

Vous vous dites ceci :

« Je suis un homme. Si le fils de cet autre homme est le père de mon fils, quel est le lien de parenté entre cet homme et moi ? »

Solution p. 246

OMME DE 1 À 100

Calculez la somme des cent premiers nombres entiers :
$$1 + 2 + 3 + ... + 99 + 100 = ?$$

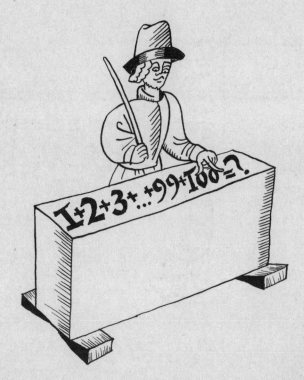

Solution p. 247

ALCUL MENTAL

Divisez 30 par 1/2 puis ajoutez 20 au résultat.
Combien obtenez-vous ?

Solution p. 248

HACUN SA PLACE

Un copiste propose de réorganiser la salle des enluminures. dame Clarisse veut s'installer derrière Frère Étienne mais ce dernier n'en démord pas : ce sera lui qui sera derrière dame Clarisse !

Comment résoudre ce problème ?

ÉCOUPAGE EN CARRÉ

Comment transformer la croix de cette armure en carré en deux coups de ciseaux, sachant que vous pouvez déplacer les morceaux obtenus ?

Solution p. 250

POISSON

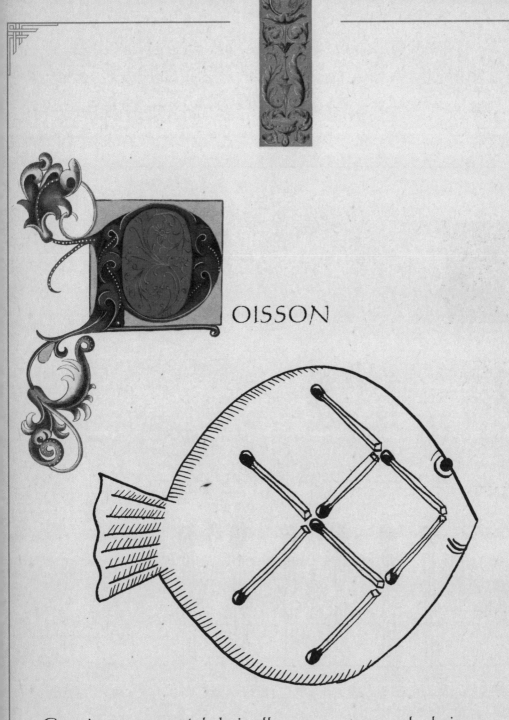

Ce poisson composé de huit allumettes nage vers la droite.
Déplacez trois allumettes pour le faire nager vers la gauche.

 RIANGLES EN ALLUMETTES 1

Comment l'apprenti charpentier du chantier de la rue du Chat-qui-pêche peut-il créer huit triangles équilatéraux avec six allumettes ?

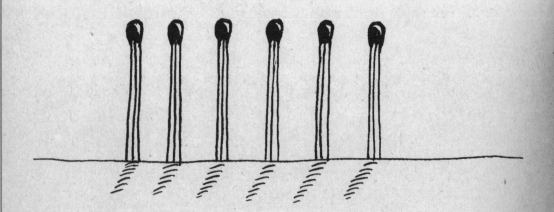

Solution p. 252

LE MOINE ET LA MONTAGNE

Un moine a parlé pendant le souper. Pour sa pénitence, il doit gravir une montagne. Il part le matin à 9 h et arrive au sommet à 12 h. Il se repose une nuit à la belle étoile et repart le lendemain à 9 h. Empruntant le même chemin à l'envers, il est en bas à 11 h. Existe-t-il un endroit sur le chemin où il est passé à la même heure les deux jours ?

Comment prouver l'existence ou l'inexistence d'un tel endroit ?

Solution p. 253

PILULES

L'apothicaire de dame Frédégonde lui a prescrit huit pilules à prendre, à raison d'une pilule tous les quarts d'heure. Combien de temps se sera écoulé lorsqu'elle aura terminé de prendre ses pilules ?

Solution p. 254

22

RIANGLE DE CURRY

Observez ces deux écus :

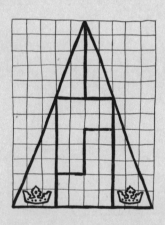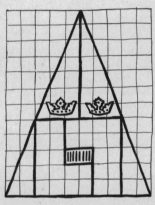

Les parties du premier écu ont été regroupées différemment pour former le second, auquel seuls deux petits carrés ont été ajoutés. Comment expliquer la présence de ce rectangle strié ?

Indice 1

Certains points, qui semblent alignés, ne le sont pas en réalité.

Indice 2

Les deux écus ne sont pas des triangles.

Solution p. 255

ARALLÉLÉPIPÈDE

Le segment AB est-il plus grand que le segment BC ?

Solution p. 256

ETTRENRÉBUS 3

Quelle expression se cache derrière ce dessin ?

TOUTOUTONEURBIEN

Solution p. 257

LETTRENRÉBUS 4

Quelle expression se cache derrière ce dessin ?

Solution p. 258

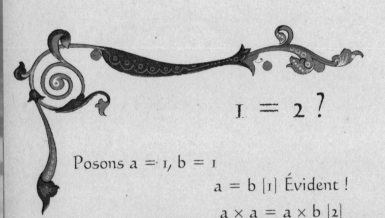

1 = 2 ?

Posons $a = 1$, $b = 1$

$$a = b \quad [1] \quad \text{Évident !}$$

$$a \times a = a \times b \quad [2]$$

On multiplie par a les deux membres.

$$a \times a - b \times b = a \times b - b \times b \quad [3]$$

On retranche b x b aux deux membres.

$$a \times a + a \times b - a \times b - b \times b = b \times (a - b) \quad [4]$$

On ajoute $0 = a \times b - a \times b$ à gauche ;
on met b en facteur à droite.

$$a \times (a + b) - b \times (a + b) = b \times (a - b) \quad [5]$$

On effectue deux mises en facteur (par a et b) à gauche.

$$(a + b) \times (a - b) = b \times (a - b) \quad [6]$$

On met en facteur a + b à gauche.

$$a + b = b \quad [7]$$

On simplifie.

$$2 = 1 \quad [8]$$

Et on crie à l'arnaque… Oui, mais où ?

Solution p. 259

 EUX ÉCRITURES
POUR UN MÊME NOMBRE ?

Posons a = 0,999 999 999 999 99... (à l'infini).

Remarque : un nombre à la décimale infinie,

cela existe, pensez au célèbre $\sqrt{2}$.

Prenons alors a, le nombre qui a pour partie entière 0

et pour partie décimale une suite infinie de 9.

a = 0,999 999 999 999 99... [1] Par définition.

10 × a = 9,999 999 999 999 99... [2] On multiplie par 10.

10 × a = 9 + 0,999 999 999 999 99... [3]

On sépare les parties entière et décimale du membre de droite.

10 × a = 9 + a [4] Par définition.

10 × a − a = 9 [5] On retranche a aux deux membres.

9 × a = 9 [6] On utilise le fait que 10 − 1 = 9.

a = 1 [7] On divise par 9 les deux membres.

Question : est-il vrai que 1 = 0,999 999 999 999 99... ?

Solution p. 260

BRACADABRA

En commençant par la lettre A en haut du triangle,
et en lisant vers le bas tout en progressant toujours
vers une lettre contiguë, combien y a-t-il de façons
de lire le mot ABRACADABRA ?

Solution p. 261

ÉVEIL MÉCANIQUE

Vous décidez de vous réveiller tôt demain matin. Vous prenez donc votre réveil mécanique (à aiguilles) car il sonne très fort. Vous le réglez pour sonner à 10 h oo et vous vous couchez à 21 h oo. Combien de temps dormirez-vous ?

Solution p. 262

TROUBADOUR

Un troubadour tenant dans la main trois objets (une balle, un chapeau et une quille) arrive devant un pont.
Le gardien du pont le prévient : « Le pont ne supportera que votre poids plus celui de deux objets maximum, et il n'est pas possible de lancer les objets de l'autre côté du pont. »

Le troubadour réussit pourtant à traverser le pont en emportant avec lui ses trois objets en un seul passage. Comment a-t-il fait ?

Solution p. 263

 UITE LOGIQUE 1

Complétez cette suite logique :

udtqcss

Solution p. 264

VERRIERS

Deux maîtres verriers sont en compétition pour réaliser les vitraux de la cathédrale de Chartres. Pour les départager, l'archevêque leur lance un défi :

« Voici un carré de verre de 24 cm de côté et un anneau de 5 cm de diamètre. Celui qui parviendra à découper le carré en quatre morceaux égaux de façon qu'ils puissent passer dans l'anneau sans se briser remportera le marché. »

Comment doivent-ils faire pour y parvenir, sachant qu'ils disposent chacun d'un diamant permettant de couper le verre dans n'importe quelle direction ?

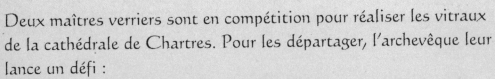

Solution p. 265

 OUCLIER À CLOUS

Comment partager ce bouclier en quatre zones rigoureusement égales, contenant chacune le même nombre de clous ?

Solution p. 266

VERTICALITÉ

Quelle est la particularité de cette phrase ?

andin basnoda a une epouse qui pue

Solution p. 267

HARADE

Mon deuxième termine mon premier,
Puisqu'en général mon premier n'est qu'un début.
Sans mon troisième Paris serait pris.
Mon quatrième ne peut pas être rattrapé.
Mon cinquième tient le quartier.
Mon sixième peut être dans l'eau.

Mon tout peut qualifier une personne opulente.

36

Solution p. 268

ALLE DES GARDES

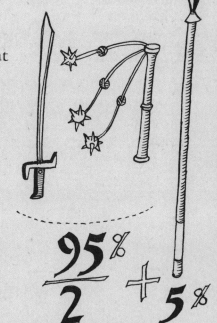

Dans la salle des gardes, six cents hommes attendent le départ pour la guerre. Parmi eux, 5 % portent une arme. Parmi les 95 % restants, la moitié porte deux armes et les autres n'en portent aucune. À combien le nombre d'armes dans la salle des gardes s'élève-t-il ?

$$\frac{95\%}{2} + 5\%$$

 UESTION D'ÂGE

Un maître interroge son élève :
« J'ai quatre fois l'âge que vous aviez quand j'avais l'âge que vous avez. J'ai quarante ans, quel âge avez-vous ? »

Solution p. 270

ETTRENRÉBUS 5

Quelle expression se cache derrière ce dessin ?

Solution p. 271

ETTRENRÉBUS 6

Quelle expression se cache derrière ces phrases à trous ?

Il est mort d'une em_ _ _ie pulmonaire.

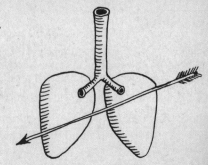

Il faut a_ _ _ir l'esclavage.

Solution p. 272

RIANGLES EN ALLUMETTES 2

Sur le chantier de la cathédrale, un compagnon se demande, pendant sa pause, comment former quatre triangles équilatéraux avec six allumettes.

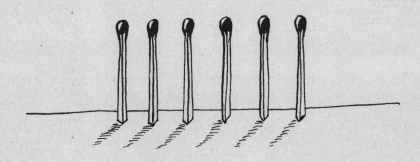

Solution p. 273

FOURCHE

Voici une fourche formée de quatre allumettes
et contenant des billes :

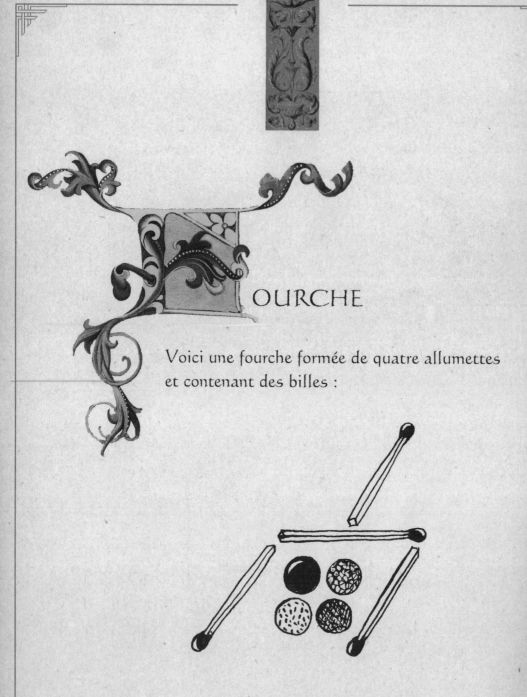

En déplaçant deux allumettes, la fourche a exactement
la même forme, mais les billes se retrouvent à l'extérieur.
Quelles allumettes faut-il déplacer pour cela ?

Solution p. 274

SYMBOLES

Divisez ce carré en quatre parties égales en grandeur et en forme de sorte que chacune des parties contienne sept symboles différents.

Solution p. 275

EUF POINTS

Prenons une grille de neuf points comme celle-ci :

O   O   O

O   O   O

O   O   O

Sur son plan, l'architecte de la crypte se demande comment relier ces neuf points en traçant quatre segments de droite sans lever la main... Pouvez-vous l'aider ?

Solution p. 276

ÎLE INDIENNE

Arthur lance un défi à quatre chevaliers de la Table ronde :
« Je vais vous placer en ligne, et vous n'aurez pas le droit
de vous retourner ou de communiquer. »
Entre Lancelot et les autres, on place une tapisserie opaque.
Lancelot et Galaad ne voient aucun des trois autres.
Perceval voit Galaad, Gauvain voit Perceval et Galaad.
« J'ai là quatre heaumes, deux ornés d'une plume blanche, deux
ornés d'une plume noire, fermez les yeux pendant que je les pose
sur vos têtes. Si l'un d'entre vous me dit la couleur de la plume
qui orne son heaume, il gagne Excalibur ! »
Ils ouvrent les yeux et, après quelques instants de réflexion,
l'un des quatre chevaliers trouve la bonne réponse.
Quel est ce chevalier ? Comment peut-il être certain de la couleur
de la plume qui orne son heaume ?

Solution p. 277

UN LOUP, UNE CHÈVRE ET UN CHOU

Accompagné d'une chèvre, d'un loup et d'un chou, vous devez traverser une rivière pour rentrer chez vous. Malheureusement, vous ne possédez qu'une minuscule barque ne permettant de transporter qu'un seul objet ou animal à la fois. Ainsi, à chaque trajet, vous devez en laisser deux sans surveillance sur la rive le temps de faire la traversée. Comment faites-vous pour les faire tous passer, sans qu'aucun se fasse manger (le loup mange la chèvre et la chèvre mange le chou) ?

Solution p. 278

 OUSTRACTION

Combien de fois peut-on soustraire 6 de 36 ?

$$36$$
$$- 6$$

ANUSCRIT

Un clerc doit paginer un manuscrit de 0 à 100.
Combien de fois inscrira-t-il le chiffre 9 ?

Solution p. 280

48

ANDICAPS

Vous êtes aveugle, sourd et muet, combien vous reste-t-il de sens ?

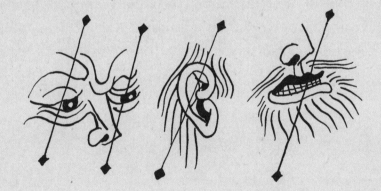

Solution p. 281

 ALLE

Deux fils de paysans jouent avec une balle en osier. L'un d'eux la fait tomber dans un trou cylindrique de 25 cm de profondeur percé au sol. Le diamètre du trou est supérieur d'un millimètre à celui de la balle. Comment le maladroit peut-il récupérer la balle, sachant que les seuls objets dont il dispose sont :

- une fronde,
- un sabot,
- une aiguille à broder,
- un fer à cheval.

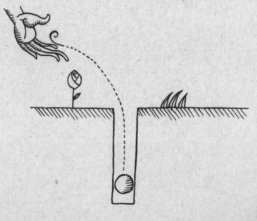

Solution p. 282

ETTRENRÉBUS 7

Quelle expression se cache derrière ce dessin ?

il ventre il

Solution p. 283

LETTRENRÉBUS 8

Quelle expression se cache derrière ce dessin ?

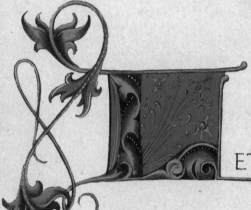

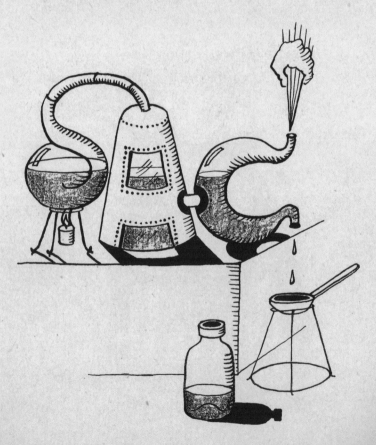

Solution p. 284

TENDARD

Voici un étendard composé de huit carrés disposés de la manière suivante :

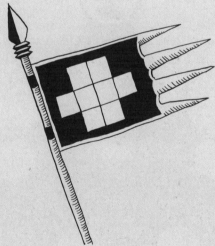

Placez chacun des chiffres de 1 à 8 dans les cases carrées de l'étendard de sorte qu'aucun ne soit en contact ni par un côté ni par une diagonale avec le chiffre qui le précède ou celui qui le suit.

Indice
Deux chiffres ont une caractéristique différente des six autres.

Solution p. 285

RIANGLE ET SOMMES

Placez deux chiffres entre 4 et 9 sur chaque côté de ce triangle afin que la somme de chaque côté soit égale à 17.

Attention ! On ne peut placer qu'une seule fois chaque chiffre (et 1, 2 et 3 sont déjà placés).

Solution p. 286

IERRES PRÉCIEUSES

Le roi Louis VI le Gros souhaite faire réaliser une couronne ornée de pierres précieuses. Il sait par un informateur que l'une des neuf pierres que lui présente le marchand est fausse. Ce dernier n'en démord pas. Le roi sait également que toutes les pierres ont le même poids sauf la fausse, qui est légèrement plus lourde. Il demande alors au marchand sa balance à plateaux et parvient à trouver la fausse pierre en seulement deux pesées.
Comment s'y est-il pris ?

Solution p. 287

NIVEAU DE VIN

Deux ivrognes trouvent un tonnelet sans couvercle, parfaitement symétrique, à peu près à moitié rempli de vin. L'un des hommes affirme que le niveau de vin s'élève à plus de la moitié du tonnelet, l'autre à moins de la moitié.

Comment peuvent-ils déterminer lequel d'entre eux a raison, sachant qu'ils n'ont à leur disposition ni instrument de mesure, ni outil d'aucune sorte, ni aucun contenant ?

Solution p. 288

GALITÉ

Comment deux mille trente-six divisé par quatre peut-il être égal à dix ?

$$2036 : 4 =$$

Solution p. 289

RÔLE D'ÉGALITÉ

À quelle époque de l'humanité cette égalité a-t-elle été vérifiée ?

$$31_{OCT} = 25_{DEC}$$

58

Solution p. 290

ÉCOUPAGE

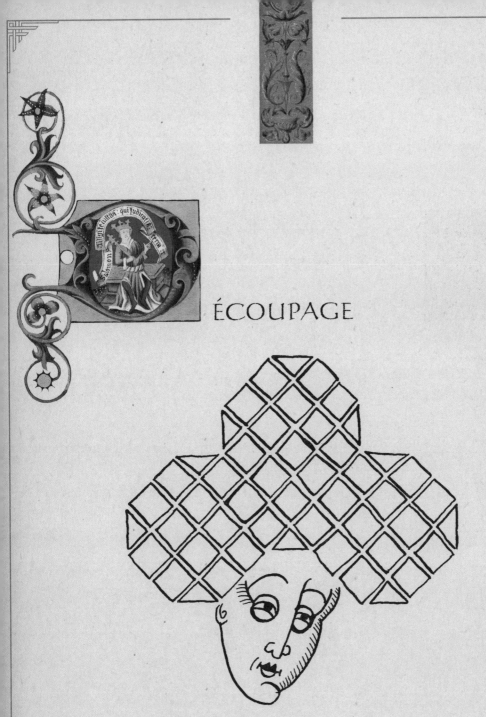

Découpez cette coiffe en quatre parties superposables.

Solution p. 291

ACCORDEMENTS

Voici deux maisons, M1 et M2.

Il vous faut les raccorder aux services d'électricité (A), de gaz (B) et d'eau (C), sachant que :

- chacun des trois services (A, B et C) doit être connecté à chacune des deux maisons (M1 et M2) ;
- les lignes ne doivent pas se toucher ni se croiser, mais elles peuvent être longues et courbées.

LLUMETTES 1

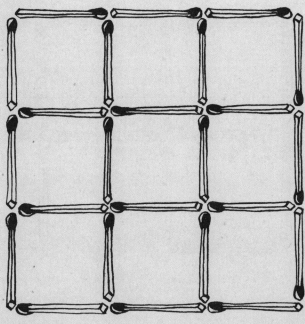

Le maître verrier réfléchit à la composition de son vitrail à l'aide d'allumettes. Son problème est le suivant : comment obtenir trois carrés à partir de ce dessin en enlevant huit allumettes ?

LLUMETTES 2

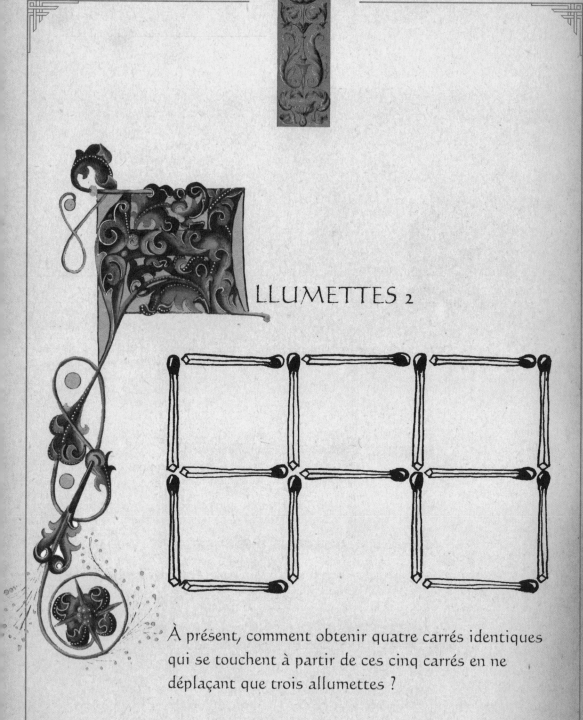

À présent, comment obtenir quatre carrés identiques qui se touchent à partir de ces cinq carrés en ne déplaçant que trois allumettes ?

Solution p. 294

OUT DANS LA TÊTE

Faites mentalement le calcul suivant :

La somme initiale est de 1 million.
Divisez-la par 4.
Divisez le résultat par 5.
Divisez le résultat par 2.
Divisez le résultat par 20.
Soustrayez 50.
Divisez par 3 puis par 8.
Soustrayez 1.
Divisez le résultat par 7.
Ajoutez 2.
Divisez par 3.
Ajoutez 2.
Enfin, divisez par 5.

Qu'obtenez-vous ?

Solution p. 295

AIRE 24 AVEC 5, 5, 5 ET 1

Comment obtenir 24 en utilisant une fois
et une seule les nombres 5, 5, 5 et 1 ?
Les seules opérations autorisées sont l'addition,
la soustraction, la multiplication et la division.

Solution p. 296

ETTRENRÉBUS 9

Quelle expression se cache derrière ce dessin ?

Solution p. 297

LETTRENRÉBUS 10

Quelle expression se cache derrière ce dessin ?

Solution p. 298

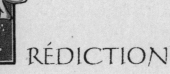

PRÉDICTION

Nostradamus l'avait annoncé :

« Le mercredi 2 février 2000 se produira un événement mondial qui n'était pas arrivé depuis plus de mille ans, le 28 août 888. »

Pouvez-vous dire de quoi il s'agit ?

Solution p. 299

OURNOI

En vous rendant à un tournoi, vous croisez six chevaliers accompagnés chacun de six écuyers. Chaque écuyer tient deux chevaux par la bride et, sur chaque cheval, deux jeunes enfants sont installés.

Combien de personnes et d'animaux se rendent au tournoi ?

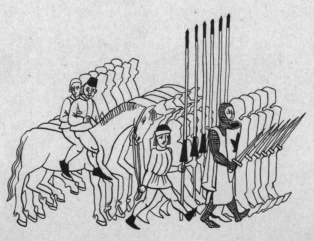

Solution p. 300

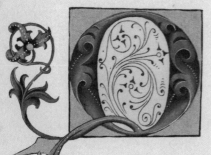 UI PERD GAGNE

Lors d'un tournoi, deux chevaliers sont à égalité.
Pour les départager, le roi leur dit :
« Voyez cette tour qui pointe à l'horizon. Celui de vous
deux dont le cheval arrivera le dernier à cette tour
remportera le tournoi. »
À ces mots, les deux chevaliers se précipitent aux écuries,
enfourchent chacun un cheval et se dirigent au grand
galop vers la tour !
Comment expliquer le comportement apparemment
illogique des deux chevaliers ?

Solution p. 301

 OIFFE

Dans une pièce sans lumière se trouvent trois coiffes noires et deux blanches.

On fait entrer trois dames de la cour dont la dernière est aveugle. Chacune prend une coiffe au hasard et la pose sur sa tête sans la regarder. On retire les deux coiffes qui restent. On allume des chandelles et on demande à chaque dame si elle est capable de deviner la couleur de sa coiffe.

La première regarde les deux autres et dit : « NON. »

La deuxième regarde également les deux autres et répond : « NON. »

La troisième, pourtant aveugle, répond : « OUI. »

Comment cette dame aveugle devine-t-elle la couleur de sa coiffe ?

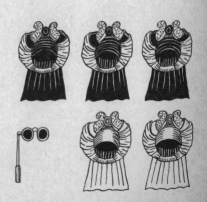

Solution p. 302

 QUATION
EN CHIFFRES ROMAINS 1

L'équation suivante n'est pas vérifiée :

$$XI + I = X$$

Que faut-il faire pour que, sans être modifiée, cette équation soit juste ?

Solution p. 303

QUATION
EN CHIFFRES ROMAINS 2

L'équation suivante n'est pas vérifiée :

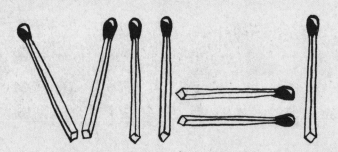

Que faut-il faire pour que, en déplaçant seulement une barre, cette équation soit juste (autrement qu'en barrant le « = » pour qu'il devienne « ≠ ») ?

Solution p. 304

ETTRENRÉBUS 11

Quelle expression se cache derrière ce dessin ?

B⬤UDIN

(à l'intérieur du O : *nalé nalé nalé...* répété)

Solution p. 305

ETTRENRÉBUS 12

Quelle expression se cache derrière ce dessin ?

Solution p. 306

ÉTECTEUR DE PENSÉE (1)

Pensez à un nombre composé de deux chiffres. Soustrayez de ce nombre chacun des deux chiffres qui le composent. Enfin, trouvez le symbole qui correspond au résultat dans le tableau ci-dessous :

99	n	98	o	97	R	96	b	95	o	94	T	93	I	92	^	91	T	90	_
89	z	88	S	87	^	86	M	85	m	84	b	83	{	82	J	81	S	80	N
79	I	78	O	77	U	76	S	75	u	74	I	73	R	72	S	71	u	70	m
69	6	68	u	67	o	66	S	65	M	64	o	63	S	62	^	61	J	60	{
59	h	58	d	57	f	56	u	55	u	54	S	53	U	52	M	51	i	50	o
49	i	48	I	47	x	46	h	45	S	44	n	43	I	42	n	41	N	40	b
39	^	38	m	37	v	36	S	35	6	34	6	33	z	32	S	31	I	30	^
29	^	28	v	27	S	26	U	25	O	24	z	23	x	22	{	21	v	20	U
19	b	18	S	17	o	16	I	15	d	14	o	13	T	12	f	11	I	10	b
9	S	8	I	7	T	6	d	5	T	4	^	3	S	2	o	1	i	0	S

Vous pouvez aller voir la solution.

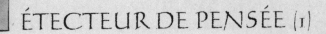

ÉTECTEUR DE PENSÉE (2)

Choisissez un nombre entre 1 et 10.

Multipliez-le par 2.

Ajoutez 8.

Divisez le résultat obtenu par 2.

Enfin, retranchez à ce nombre celui que vous aviez choisi au départ et repérez la lettre correspondante au nombre obtenu dans la liste de cartes ci-dessous.

Pensez maintenant à un nom de pays commençant par cette lettre.
Pensez maintenant à un gros animal dont le nom commence par la 4e lettre du nom de ce pays.

Vous pouvez aller voir la solution…

Solution p. 308

 ARRÉ EN ALLUMETTES

Quatre allumettes sont disposées en croix :

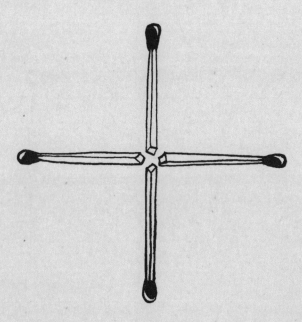

Comment obtenir un carré en ne bougeant qu'une seule allumette ?

Indice

Le mot « carré » a plusieurs sens.

Solution p. 309

 INQ CARRÉS

Un troubadour de la foire a constitué une figure formée de cinq carrés.

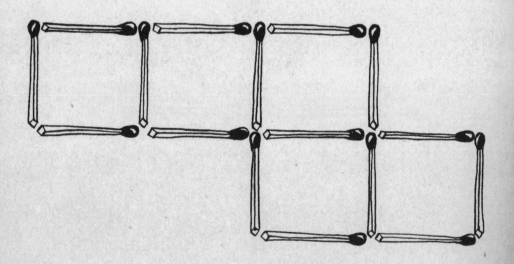

Saurez-vous former quatre carrés de même taille en ne déplaçant que deux allumettes ?

Solution p. 310

ES CHEMINS

Reliez par des traits les habitations 1 à 1, 2 à 2 et 3 à 3 sans croiser les traits et sans sortir du cadre.

SOLEMENT

À l'Hôtel-Dieu, un malade est atteint de la peste. Pour éviter toute propagation, on décide de séparer les malades de la salle commune à l'aide de deux paravents disposés chacun en carré, de tailles indifférentes.

Où faut-il les placer afin d'isoler chaque malade ?

Solution p. 312

# UIT REINES

Comment disposer huit reines sur un échiquier de façon qu'aucune d'entre elles ne soit « mise en échec » par une autre ?

Rappel : les reines se déplacent en ligne droite et en diagonale.

	a	b	c	d	e	f	g	h
8								
7								
6								
5								
4								
3								
2								
1								

Solution p. 313

 UATRE REINES ET UN FOU

Sur un plateau d'échecs, comment placer quatre reines et un fou pour que le roi adverse soit toujours en échec, quelle que soit sa position ?

Rappel : les reines se déplacent en ligne droite et en diagonale, et le fou en diagonale.

Solution p. 314

 ERCLE VICIEUX

Écrivez en toutes lettres le chiffre manquant tout en conservant la cohérence de la phrase.

Dans ce cercle le "r" est présent ... fois

CCURRENCES

Le roi Dagobert est distrait, il a oublié le code du coffre dans lequel il range ses attributs royaux.

Il va trouver saint Éloi, son trésorier, auquel il se souvient d'avoir confié un pense-bête, en cas de besoin. Ce dernier lui remet un parchemin sur lequel on peut lire :

« Pour retrouver le code du coffre, il faut remplacer les blancs de la phrase qui suit par des chiffres, en faisant en sorte que cette phrase reste cohérente (les chiffres insérés étant également pris en compte). Les dix chiffres insérés, dans l'ordre, donneront le code ! »

Voici la phrase :

« Dans cette phrase, le nombre d'occurrences de 0 est __, de 1 est __, de 2 est __, de 3 est __, de 4 est __, de 5 est __, de 6 est __, de 7 est __, de 8 est __, et de 9 est __. »

Quel code le roi Dagobert doit-il composer pour pouvoir ouvrir son coffre et récupérer sa couronne ?

Solution p. 316

 ETTRENRÉBUS 13

Quel titre d'œuvre littéraire se cache derrière ce dessin ?

Solution p. 317

 ETTRENRÉBUS 14

Quelle expression se cache derrière ce dessin ?

mapoilin

Solution p. 318

POINT COMMUN

Ésope reste ici et se repose.

Engage le jeu, que je le gagne.

Et la marine va, papa, venir à Malte.

Noël a trop par rapport à Léon.

Ces quatre phrases ont quelque chose en commun.
De quoi s'agit-il ?

Solution p. 319

 MBIGUÏTÉS

Quelle est la particularité des vers suivants :

Dans cette antre, lassés de gêner au palais,
Dansaient, entrelacés, deux généraux pas laids.

Au Café de la Paix, grand-père, il se fait tard
Oh ! Qu'a fait de la pègre en péril ce fêtard ?

Simple appareil, adhésion des sens,
Seins plats pareils à des ions d'essence.

Confusément, le père Igor tue, en Grèce.
Confuse, aimant le Périgord, tu engraisses.

Solution p. 320

TAPIS

La chambre à coucher de Charlemagne mesure 12 m sur 9.
Au milieu se trouve une cheminée rectangulaire de 8 m de long
pour 1 m d'épaisseur. La chambre dispose donc d'une surface
habitable de 100 m² $(12 \times 9 - 8 \times 1 = 100)$. Elle est représentée
sur la figure ci-contre :

Pour la rendre plus confortable,
l'Empereur souhaite recouvrir
son sol d'un tapis rapporté
d'Orient, mesurant 10 m sur 10.

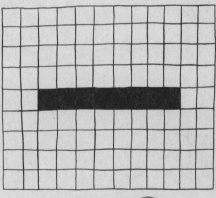

Comment couvrir la pièce
avec le tapis en le découpant
en deux morceaux égaux
et superposables ?

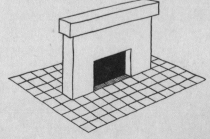

Solution p. 321

VALON

Avalon est une île carrée entourée d'une rivière de 4 m de largeur.

On possède deux planches de 3,90 m de long et de quelques centimètres de large. Comment doit-on les disposer pour obtenir un pont stable permettant de rejoindre l'île légendaire ?

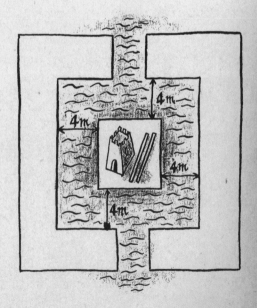

Solution p. 322

UITE LOGIQUE 2

Complétez cette suite logique :

NXSEQX...

 UITE LOGIQUE 3

Complétez cette suite logique :
1 (2,3) 2 (5,6) 4 (11,30) 26 (?,?) ?

Solution p. 324

TINÉRAIRE MEURTRIER

Une prison est composée de seize cellules.

Le prisonnier de la cellule en haut à gauche possède la clé
de la cellule en bas à droite.
Décidant de s'évader, il abat le mur de la cellule voisine
et tue le prisonnier qui s'y trouve, laissant le cadavre en place.
Il traverse toutes les cellules, tue tous les prisonniers,
mais ne revient jamais dans une cellule où se trouve un cadavre.
Et il parvient à s'évader !
Pouvez-vous décrire son itinéraire meurtrier ?

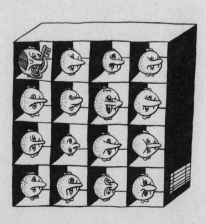

Solution p. 325

ORLOGE

Aucassin possède l'un des premiers spécimens
d'horloge à foliot. Il ne s'en sépare jamais,
mais oublie souvent de la remonter.
Quand elle s'arrête, il se rend sur le parvis
de la cathédrale (dont la façade comporte
une horloge) pour retrouver Nicolette,
la jeune Sarrasine dont il est épris,
puis il rentre chez lui et remet son horloge
à l'heure !
Comment procède-t-il, sachant qu'il
ne connaît pas la longueur de son trajet
mais qu'il sait qu'il va aussi vite à l'aller
qu'au retour ?

Solution p. 326

 Ù EST LE PÈRE ?

Dame Berthe a vingt et un ans de plus que son fils.
Dans six ans, il sera cinq fois plus jeune que sa mère.

Question :
Où se trouve le père ?

Solution p. 327

LE SPHINX

Quel animal a quatre pieds le matin, deux à midi et trois le soir ?

Solution p. 328

 NFANTS

Godefroi de Bouillon a cinq enfants. La moitié sont des filles.
Comment l'expliquer ?

Solution p. 329

RSENIC

La reine souhaite faire disparaître la favorite du roi.
Profitant de ce que cette dernière, malade, doit prendre
chaque jour une pilule curative, elle fait appel à une
empoisonneuse, à qui elle remet les douze boîtes de douze
pilules de sa rivale pour les remplacer par du poison.
Mais la vieille sorcière meurt avant que sa funeste tâche
soit accomplie, n'ayant eu le temps de remplacer par des
pilules d'arsenic que les douze pilules d'une seule boîte.
La reine sait que les pilules d'arsenic pèsent 1 g
de moins que les autres, qui pèsent 10 g.
Comment peut-elle, à l'aide d'une balance romaine
(à un plateau), retrouver la boîte trafiquée ?

Solution p. 330

LA TRAVERSÉE DU PONT

La gardienne du pont est une goule terrifiante qui passe toutes
les 17 minutes. Quatre personnes doivent absolument traverser ce
pont. Chacune d'entre elles marche à une vitesse maximale donnée.
Appelons A la personne qui peut traverser le pont en 1 minute,
B celle qui le traverse en 2 minutes, C celle qui le franchit en
5 minutes et D celle qui le traverse en 10 minutes.
Ces quatre personnes ne disposent que d'une seule torche
et il est impossible de traverser le pont sans torche.
Le pont ne peut supporter que le poids de deux personnes.
Dans quel ordre ces quatre personnes doivent-elles traverser ?

Solution p. 331

AGNÉTISME

On dispose de deux cylindres en fer de 15 cm de long dont la base fait 1 cm de diamètre. Ces deux cylindres sont rigoureusement identiques, à ceci près que l'un des deux est aimanté aux deux bouts et l'autre non. En étant dans une chambre fermée avec pour seul meuble une table en bois et ne disposant d'aucun objet métallique si ce n'est ces deux cylindres, comment peut-on déterminer lequel des deux cylindres est aimanté ?

Solution p. 332

MOT DE PASSE

Un légat du pape souhaite assister à une réunion secrète tenue par les chevaliers cathares. Pour être admis, il doit donner le mot de passe au garde à l'entrée. Il se cache et écoute les personnes qui se présentent.

Un homme arrive. Le garde lui dit : « Cinq », l'homme répond : « Quatre » et le garde le laisse entrer. Un deuxième se présente. Le garde lui dit : « Six », il répond : « Trois » et passe. Un dernier paraît.

Le garde lui dit : « Quatre », il répond : « Six » et entre. Arrive le tour du légat du pape. Le garde lui dit : « Sept ». Que doit-il répondre pour pouvoir entrer ?

Solution p. 333

ERRIÈRE LES BARREAUX

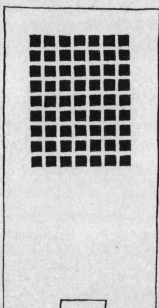

Quand les torches s'éteignent dans le couloir, que voit le prisonnier sur ses barreaux ?

Solution p. 334

ENGRENAGE

Approchez puis reculez tout en fixant le point central, que se passe-t-il alors ?

Solution p. 335

ŒUFS DE POULES

Huit cents poules pondent en moyenne huit cents œufs en huit jours.

Combien d'œufs pondent quatre cents poules en quatre jours ?

Solution p. 336

CHATS

Si, dans les cuisines du château, trois chats attrapent trois souris en 3 minutes, combien faudrait-il de chats pour attraper cent souris en 100 minutes ?

3 minutes

LETTRENRÉBUS 15

Quel titre d'œuvre littéraire se cache derrière ce dessin ?

H2O

Solution p. 338

ETTRENRÉBUS 16

Quelle expression se cache derrière ce dessin ?

Solution p. 339

BLESSURE

Lors d'un tournoi chevaleresque, un homme et son fils sont deux des candidats en lice. Une lance atteint le père qui meurt sur le coup.

Son fils, également blessé, est transporté dans une tente.

Le docteur chargé de l'examiner se penche sur la civière et s'exclame : « Mon dieu ! C'est mon fils ! »

Comment est-ce possible ?

Solution p. 340

ULETIER

Un muletier s'apprête à emprunter une ruelle à l'entrée de laquelle une pancarte indique : « Interdit aux mules ».

Il regarde la pancarte sans broncher et s'engage dans la ruelle, avant d'être interpellé par un soldat de la maréchaussée.

Tous deux discutent un moment et le muletier repart sans histoire. Comment est-ce possible ?

Solution p. 341

COUR D'HONNEUR

Cette figure représente le pavage d'une cour d'honneur. Combien comporte-t-elle de carrés au total ?

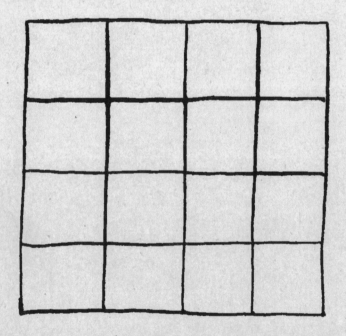

Solution p. 342

 OMPTEZ LES TRIANGLES

Contemplant un bijou à facettes posé sur son socle, l'intendant
du roi se demande : « Combien y a-t-il de triangles ? »

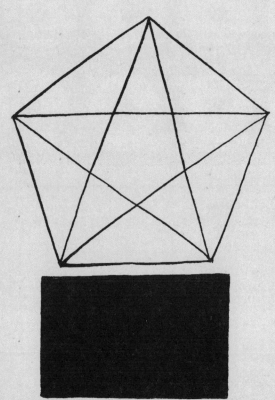

Solution p. 343

INQ ALIGNEMENTS

Disposez ces dix pièces en réalisant cinq alignements formés chacun de quatre pièces.

Solution p. 344

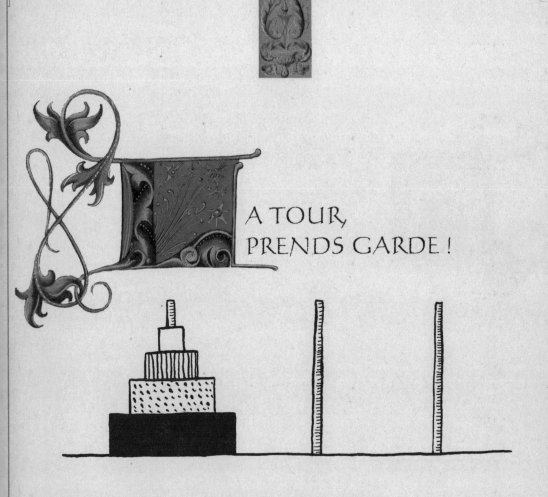

A TOUR, PRENDS GARDE !

Il vous faut transférer, un par un, tous les jetons de la tour de gauche dans l'emplacement vide de droite en ne plaçant jamais un jeton sur un autre plus petit, et cela en quinze déplacements au maximum.

Vous pouvez bien sûr utiliser l'emplacement du milieu pour transiter.

Solution p. 345

 VOS PLUMES

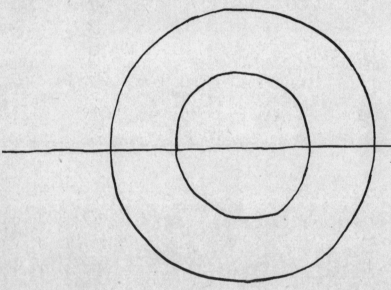

Dessinez cette figure sans décoller votre crayon du papier
et sans repasser deux fois au même endroit.

Solution p. 346

 OUR PAVÉE

Dans cette cour pavée, comment sont les lignes ?

 AS DE LAINE

Dame Brunehaut est désordonnée : tous ses bas de laine (dix bas noirs, huit bas rouges et six bas blancs) sont mélangés dans un coffre. Elle souhaiterait en récupérer une paire unie mais il fait noir et les chandelles se sont éteintes dans sa chambre.

Combien de bas au minimum dame Brunehaut doit-elle sortir du coffre afin d'être certaine de posséder deux bas de la même couleur ?

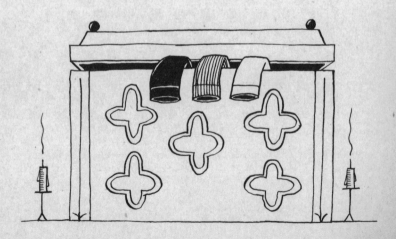

Solution p. 348

OFFRETS

Des bandits se font surprendre alors qu'ils pillent le trésor
du roi. Ils ont le temps d'emporter trois coffrets, dont ils
ne possèdent pas la clé.

L'un contient des pièces d'or, l'autre des pièces d'argent,
le dernier, enfin, contient à la fois des pièces d'or et d'argent.
Chaque coffret portait à l'origine une étiquette précisant
son contenu mais, dans leur fuite, les bandits les ont toutes
mélangées et elles sont à présent toutes mal placées.

Ils ne peuvent voir qu'une seule pièce par le trou de la serrure
de chaque coffret.

Dans quel coffret leur suffit-il de jeter un coup d'œil
pour savoir aussitôt ce que contient chacun d'eux ?

Solution p. 349

ONZE RAMEAUX

Deux chevaliers se disputent le privilège de courtiser une dame de la cour. Pour les départager, le roi les place devant une table, sur laquelle il pose onze rameaux.

Chacun à son tour, ils ont le droit de prendre un, deux ou trois rameaux sur la table. Le roi décide que celui qui ramassera le dernier rameau devra s'éclipser.

Sachant qu'il commence, combien de rameaux Yvain doit-il prendre pour gagner à coup sûr ?

Solution p. 350

ES MOUTONS

Un vieux berger dit à sa femme :
« Lorsque je mourrai, je souhaite que notre fils aîné reçoive
la moitié de mes moutons, notre cadet le tiers et enfin notre plus
jeune fils le neuvième. »
Lorsqu'il décède, le berger possède dix-sept moutons. Ils ont beau
réfléchir, ses trois fils ne voient pas comment respecter la volonté
de leur père, à moins de dépecer des moutons !

Finalement, c'est un vieux berger, ami de leur père, qui trouve
la solution à leur problème.

Que propose-t-il ?

Solution p. 351

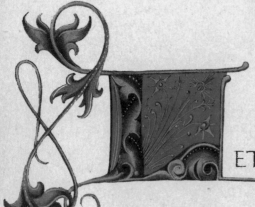

LETTRENRÉBUS 17

Quelle expression se cache derrière ce dessin ?

Solution p. 352

ETTRENRÉBUS 18

Quelle expression se cache derrière ce dessin ?

Solution p. 353

VALEUR DU PRODUIT

Quelle est la valeur du produit suivant :

$(x - a)(x - b)(x - c)(x - d)... (x - y)(x - z)$?

Il y a en tout 26 parenthèses, et a, b... z sont des nombres quelconques (réels ou complexes).

Solution p. 354

OUT NOMBRE RÉEL EST-IL POSITIF ?

On rappelle que R est l'ensemble des nombres réels (positifs ou négatifs) que l'on pourrait appeler communément nombres à virgule.

$R =] - \text{infini}, + \text{infini} [$

Pour tout x dans R $x^2 \geq 0$ [1] Résultat bien connu.

Pour tout x dans R $(x^2)^{1/2} \geq (0)^{1/2}$ [2] Mise à la puissance $^{1/2}$ des deux membres.

Pour tout x dans R $x^{(2 \times 1/2)} \geq 0$ [3] Utilisation de la propriété : $(x^n)^m = x^{n \times m}$

Pour tout x dans R $x^1 \geq 0$ [4] Calcul tout bête : $2 \times 1/2 = 1$.

Pour tout x dans R $x \geq 0$ [5] Sympathique, non ?

Solution p. 355

LTERNANCE

Quatre pièces noires et quatre pièces blanches sont disposées ainsi :

En effectuant quatre mouvements au maximum, il faut les faire alterner : noire-blanche-noire-blanche, etc.

Chaque mouvement consiste à déplacer simultanément deux pièces adjacentes.

Solution p. 356

OURSE

Comment faire alterner une bourse pleine de deniers et une bourse vide en ne touchant qu'à une seule bourse ?

Solution p. 357

BÉNÉFICE

À la foire de Provins, un marchand achète une étoffe
70 deniers, puis la vend 80 deniers.
Pensant pouvoir gagner plus d'argent, il la rachète
90 deniers pour la revendre finalement 100 deniers.
A-t-il fait un bénéfice ? Si oui, combien de deniers
a-t-il gagnés ?

Solution p. 358

 U MARCHÉ

Dame Ermangarde est dépensière.
Au marché, elle a dépensé tout ce qu'elle avait dans
sa bourse chez cinq marchands différents.
Dans chaque nouvelle échoppe, elle a dépensé 10 deniers
de plus que la moitié de ce qu'elle avait en entrant.
Combien avait-elle dans sa bourse au départ ?

Solution p. 359

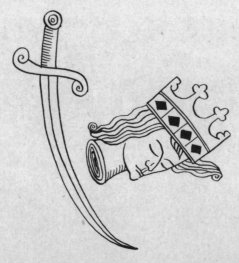

ÉCAPITATION

Lors d'une croisade, le roi de France et ses hommes sont arrêtés par les Sarrasins qui leur réservent un triste sort :
– le roi est décapité,
– son fils aîné est pendu,
– deux écuyers ont la tête tranchée.
Pourtant, ce massacre ne fit que deux victimes.
Comment est-ce possible ?

Solution p. 360

ERRE VIDE

Combien de gouttes d'eau peut-on mettre dans un hanap vide ?

 ETTRENRÉBUS 19

Quelle expression se cache derrière ce dessin ?

Solution p. 362

ETTRENRÉBUS 20

Quelle expression se cache derrière ce dessin ?

Solution p. 363

CHARADE D'IVROGNE

Mon premier est un délit.
Mon deuxième est du riz.
Mon troisième est un homme très mince.
Mon tout menace l'ivrogne.

Solution p. 364

AL COSTUMÉ

Quelle est la particularité de ce texte ?

Au bal costumé, des enfants facétieux gambadaient, hilares, infatigables. Joyaux kaléidoscopiques, lampions multicolores, nous offraient partout quelque resplendissant spectacle. Titubant, un vénérable wagonnier xanthoderme y zigzaguait. Yogis xénophiles, wattmen vaniteux, unis temporairement, sirotaient, rêveurs. Quand, promeneurs obscurs, nous musardions, la kermesse joyeuse immortalisait héros grecs, farfadets et danseurs chinois bizarrement accoutrés.

Solution p. 365

UATRE CARTES
ET QUATRE LETTRES

Quatre cartes vous sont présentées. Elles contiennent toutes une lettre de l'alphabet (soit D, soit G, soit P, soit L) sur chacune de leurs faces.

Combien faut-il retourner de cartes pour vérifier la proposition : « Derrière tout G se trouve L » ?

Solution p. 366

ASSE-TÊTE DE CARTES

Un bateleur tire trois cartes au hasard dans un jeu de cinquante-deux cartes et les étale devant lui.

Saurez-vous déterminer quelles sont ces cartes et quelle est leur disposition à l'aide des quatre indices suivants :

 Indice 1 :
Un 5 est à droite d'un roi
(mais pas nécessairement juste à côté).

 Indice 2 :
Un trèfle est à gauche d'un pique
(mais pas nécessairement juste à côté).

 Indice 3 :
Un 10 est à gauche d'un cœur
(mais pas nécessairement juste à côté).

 Indice 4 :
Un cœur est à gauche d'un pique
(mais pas nécessairement juste à côté).

Solution p. 367

ES MÈCHES

Merlin doit laisser reposer une potion pendant 45 minutes précisément mais il ne possède aucun moyen de mesure.
En revanche, il dispose d'un flambeau et de deux mèches, dont il sait qu'elles brûlent chacune en 1 heure, mais de façon irrégulière (la moitié d'une mèche ne se consumera pas en 30 minutes).
Comment l'enchanteur peut-il mesurer exactement 45 minutes ?

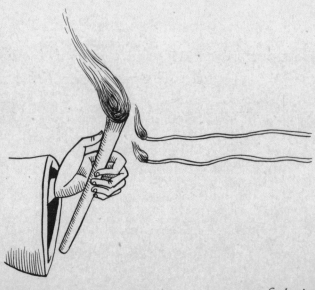

Solution p. 368

ADENAS

En témoignage de son amour, Iseut veut faire parvenir à Tristan une boîte contenant des mèches de ses cheveux. Afin que nul ne puisse ouvrir cette boîte compromettante, Tristan et Iseut disposent chacun d'un cadenas à clé pouvant être installé sur la boîte. En revanche, pour ne pas être découvert, aucun des deux amants ne doit posséder la clé du cadenas de l'autre.

Comment les amants doivent-ils s'y prendre pour que la boîte scellée parvienne à son destinataire et qu'il puisse l'ouvrir ?

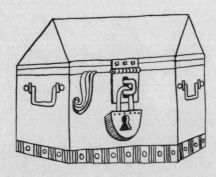

Solution p. 369

LIBELLULE

Tristan et Iseut sont séparés de 100 km.
Chacun décide d'aller à la rencontre de l'autre,
empruntant des chaises à porteurs qui progressent
de 10 km par heure.
Une libellule, dont la vitesse est de 150 km/h,
commence alors un aller-retour ininterrompu entre
les deux chaises à porteurs.
Quelle distance aura-t-elle parcouru au moment
où les deux amants se retrouveront ?

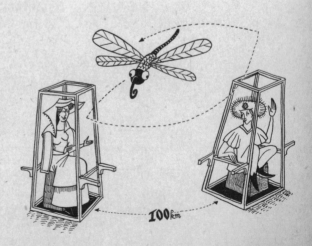

100 km

Solution p. 370

PALINDROME

Un cavalier a parcouru 15 951 km depuis qu'il est au service du roi Pépin le Bref. Il remarque que ce nombre est un palindrome (il peut se lire indifféremment de droite à gauche ou de gauche à droite).

Il continue de chevaucher et, deux heures plus tard, le nombre total de kilomètres qu'il a parcourus est à nouveau un palindrome.

À quelle vitesse chevauche-t-il ?

Solution p. 371

UENIÈVRE

Pour punir Guenièvre de son infidélité, le roi Arthur l'enferme dans l'une des imprenables tours rondes de son château.

Rongée par le chagrin, la reine, partant de la porte, qui n'est pas située plein sud, marche d'abord vers le nord de la tour sur une distance de 30 toises avant de se cogner la tête contre le mur opposé. Elle décide alors de partir plein ouest et se heurte à nouveau à un mur au bout de 40 toises.

Quel est le diamètre de la tour ?

Solution p. 372

 ÉNUPHAR

Un nénuphar doublant sa superficie chaque année recouvre entièrement une mare au bout de dix ans.
Combien de temps aurait-il fallu pour que la mare soit entièrement recouverte s'il y avait eu deux nénuphars ayant ces mêmes propriétés ?

Solution p. 373

ISEAU
DEVIENDRA DRAGON

Observez cet enclos dans lequel sont enfermés des oiseaux
et des dragons.

Sachant que si l'on ouvre les serrures 5, 6, 7 ou 8, les animaux
enfermés dans la colonne correspondante permutent (l'oiseau
devient dragon, et inversement), de même que si l'on ouvre
les serrures 1, 2, 3 ou 4, les animaux enfermés dans la ligne
correspondante permutent, en combien de coups au minimum
peut-on transformer tous les oiseaux de l'enclos en dragons ?

Solution p. 374

# SCARGOT GRIMPEUR

Un escargot veut grimper au sommet d'un mur de 10 m de haut.
Mais il se déplace d'une façon très particulière : pendant la journée,
il monte 3 m et, durant la nuit, il redescend de 2 m.
S'il commence son ascension un matin, combien de jours lui
faudra-t-il pour accéder au sommet de ce mur ?

Indice
10 jours n'est pas la bonne réponse.

Solution p. 375

CHASSE À L'OURS

Un chasseur veut tuer un ours. Il en repère un et veut le prendre par surprise. Afin de le contourner, le chasseur fait 10 km à pied vers le sud, puis 10 km vers l'est, et enfin 10 km vers le nord… Et là, surprise, il se trouve nez à nez avec l'ours qui, lui, n'a pas bougé.

Question :
Quelle est la couleur de l'ours ?

Solution p. 376

AFFICHAGE DIGITAL

Sur une horloge à affichage digital, combien de fois par jour le chiffre 1 apparaît-il ?

Solution p. 377

ETTRENRÉBUS 21

Quel titre de film se cache derrière ce dessin ?

LA VAVA ROUILLE ROUILLE

Solution p. 378

LETTRENRÉBUS 22

Quel titre d'œuvre littéraire se cache derrière ce dessin ?

Solution p. 379

ÉOMÈTRE

Saurez-vous partager ce pré en quatre parties de même
surface et de même forme ?

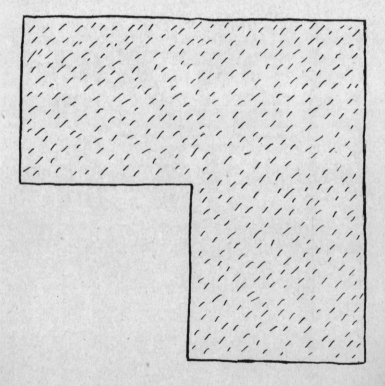

Solution p. 380

 N PRISON

Sept prisonniers sont enfermés dans une tour du château royal. Pour éviter qu'ils s'entre-tuent, le prévôt décide de les séparer en érigeant trois murs. Où placer ces murs pour isoler chaque prisonnier, sachant que la taille de la cellule n'a pas d'importance ?

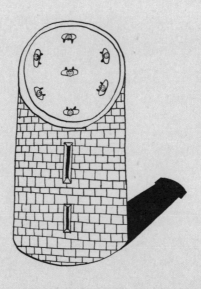

Solution p. 381

 L'AUBERGE

Un fripier, un drapier et un tapissier, se rendant à la foire de Provins, font étape dans une auberge à Limoges où ils louent une chambre pour trois personnes à 30 sous la nuit. Chacun donne donc 10 sous. Comme l'aubergiste les trouve sympathiques, il baisse le prix à 25 sous et leur rend 5 sous. Mais ils sont trois. Ils décident donc de prendre chacun 1 sou et de laisser les 2 sous qui restent en guise de pourboire.

Chacun a donc payé 9 sous (3 × 9 = 27) et l'aubergiste a récupéré 2 sous.

27 + 2 = 29

Où est passé le trentième sou ?

150

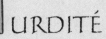

URDITÉ

Le cierge pascal de l'abbatiale est éteint et frère Benoît est chargé de l'allumer dès qu'il en aura reçu le signal par l'un des trois moines situés dans la crypte, sous l'église.

Mais à force de sonner les cloches, frère Benoît est un peu sourd, et seul l'un des trois moines est capable de parler assez fort pour être entendu de frère Benoît. L'abbé, qui se trouve également dans la crypte, souhaite savoir de quel moine il s'agit. Comment doit-il faire pour savoir quel est le moine qu'entend frère Benoît en ne se rendant dans l'église qu'une seule fois ?

Précision : l'abbé ne peut se faire aider de quelqu'un et il n'a aucun moyen de voir l'église depuis la crypte.

Indices

Il est possible de vérifier autre chose sur le cierge que sa luminosité. Les moines peuvent demander à frère Benoît tant d'allumer que d'éteindre le cierge.

Solution p. 383

LES DEUX GARDES

Un prisonnier est enfermé dans une tour qui comporte deux portes. L'une d'elles donne sur la sortie, l'autre sur les oubliettes. Un gardien est placé devant chaque porte. L'un dit toujours la vérité, l'autre ment toujours. Quelle seule et unique question le prisonnier doit-il poser à un seul des deux gardiens pour être certain de trouver la porte de la liberté ?

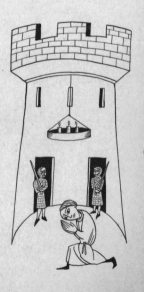

Solution p. 384

ONNE PIOCHE

Un roi tyrannique a capturé son opposant le plus
farouche. Le lendemain, il lui donne une ultime chance
d'être gracié.

Il place deux billes dans un heaume, une blanche
symbolisant la liberté, une noire représentant la mort.
Devant le peuple réuni pour l'occasion, le prisonnier devra
tirer au hasard une seule bille qui décidera de son sort.

La nuit, un espion apprend au prisonnier que le roi a placé
dans le heaume deux billes noires.
Comment peut-il s'y prendre pour être libéré en ne tirant
qu'une seule bille ?

Solution p. 385

 ETTRENRÉBUS 23

Quelle expression se cache derrière ce dessin ?

Solution p. 386

ETTRENRÉBUS 24

Quelle expression se cache derrière ce dessin ?

N PEU
DE CALCUL MENTAL

On peut compléter des lignes comportant quatre « 1 » de plusieurs façons :

$1\ 1\ 1\ 1 = 3$

$1\ 1\ 1\ 1 = 4$

avec des opérateurs de calcul afin de rendre les égalités justes :

$1 + 1 + (1 \times 1) = 3$

$(1 + 1) \times (1 + 1) = 4$

À chaque fois, plusieurs possibilités peuvent exister.

Dans le tableau ci-dessous, comment, en utilisant exactement quatre fois chaque chiffre de la première colonne et en insérant entre eux trois signes arithmétiques + − × ÷, peut-on obtenir chacun des nombres de la seconde colonne ?

×	Nombres
2	0, 1, 2, 3, 4, 5, 6, 10, 12
3	3, 4, 5, 6, 7, 8, 9, 10
4	3, 6, 7, 8, 24, 28, 32, 48
5	3, 5, 6, 26, 30, 50, 55, 120

Solution p. 388

ADDITION

Comment obtenir 1 000 par une addition ne comportant que des 8 ?

Solution p. 389

29 FÉVRIER

Le fils de dame Gertrude et de sire Baudouin est né un lundi 29 février. Quel âge aura-t-il la prochaine fois que son anniversaire tombera un lundi ?

Solution p. 390

 OMBRE DE JOURS

Certains mois comptent trente et un jours et d'autres trente.
Combien y a-t-il eu de mois comportant vingt-huit jours
entre janvier 1008 et décembre 1012 ?

Solution p. 391

INQ TRIANGLES

Un alchimiste veut déplacer quatre allumettes pour former cinq triangles. Comment doit-il s'y prendre ?

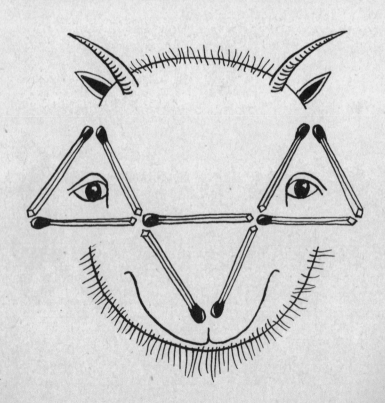

Solution p. 392

LLUMETTES (3)

À son tour, l'assistant de l'alchimiste veut déplacer quatre allumettes afin d'obtenir trois triangles équilatéraux qui se touchent. Il ne doit pas rester de triangles ouverts ou incomplets.

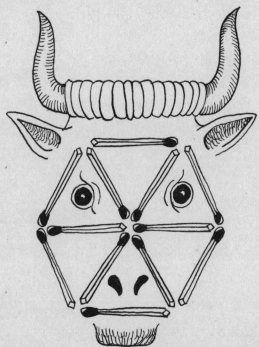

Solution p. 393

UNIVERSITÉ

À l'université, un maître pose un problème aux jeunes clercs à qui il enseigne :

1. C'est mieux que Dieu.
2. C'est pire que le diable.
3. Les pauvres en ont.
4. Les riches en ont besoin.
5. Et si l'on en mange, on meurt.

De quoi s'agit-il ?

Solution p. 394

HARADE DE GOURMAND

Mon premier est bavard.
Mon deuxième est oiseau.
Mon troisième est chocolat.
Mon tout est une pâtisserie.

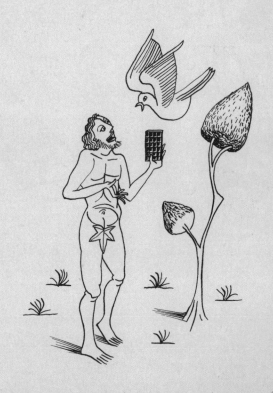

Solution p. 395

L'OMBRE DE LA TOUR

À l'ombre de la tour, il se passe des phénomènes étranges...
Quelle différence voyez-vous entre le carré A et le carré B ?

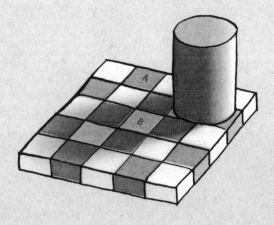

Solution p. 396

 OUPON DE TISSU

Quand les lignes obliques se rejoindront-elles sur ce coupon de tissu ?

Solution p. 397

 ETTRENRÉBUS 25

Quelle expression se cache derrière ce dessin ?

Solution p. 398

 ETTRENRÉBUS 26

Quelle expression se cache derrière ce dessin ?

Solution p. 399

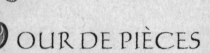

OUR DE PIÈCES

Disposez quinze pièces en cinq tas de trois placés
en cercle. Après neuf manœuvres, vous devez
obtenir un ordre croissant et successif de pièces,
par ordre de tas (une pièce dans le tas A, deux
pièces dans le tas B... cinq pièces dans le tas E).
Une manœuvre consiste à distribuer toutes les pièces d'un tas
quelconque au départ, en en plaçant une dans chacun des autres
tas suivants (même vide) dans le sens des aiguilles d'une montre,
en commençant par celui qui se trouve à côté du tas concerné.
Lorsque toutes les pièces du tas ont été distribuées, vous passez
à un autre tas quelconque. Quelles sont ces neuf manœuvres ?

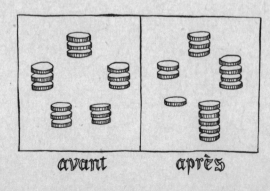

avant   après

Solution p. 400

AGIQUE CARRÉ

Un bateleur, disposant de pièces de 1, 2 et 3 sous
devant lui tel que ci-dessus, lance un défi aux badauds
sur le parvis de Notre-Dame : « La somme des lignes
et des colonnes de ce carré est égale à 6, mais pour qu'il
soit vraiment "magique", il faudrait également que les
deux diagonales soient égales à 6. Qui saura me dire
quels sont les trois sous qu'il suffit de déplacer pour
y parvenir ? »

Solution p. 401

 RANCHES DE PÂTÉ

Le cuisinier du roi a préparé un pâté aux pruneaux. Comment doit-il s'y prendre pour le couper en huit morceaux identiques en donnant uniquement trois coups de couteau ?

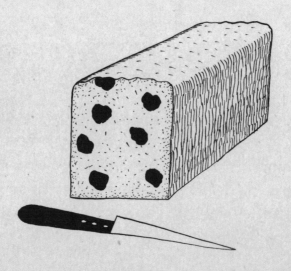

Solution p. 402

ALETTES

Le boulanger doit faire cuire trois galettes de blé,
mais il ne peut en placer que deux à la fois dans son fournil.
Sachant qu'il faut 3 minutes de cuisson par côté,
quel est le temps minimum pour faire cuire les trois galettes ?

Solution p. 403

QUEL JOUR ?

Si nous ne sommes pas le lendemain de lundi ou le jour avant jeudi, que demain n'est pas dimanche, que ce n'était pas dimanche hier et que le jour d'après-demain n'est pas samedi, et que le jour avant hier n'était pas mercredi, quel jour sommes-nous ?

Solution p. 404

TRANGE DATE

En quoi le 29 novembre 1192, année marquant la fin de la troisième croisade, a-t-il été une journée particulière ?

Solution p. 405

PETIT RECTANGLE DEVIENDRA CARRÉ

Voici un parchemin rectangulaire dont la longueur
(L = 2) est le double de la largeur (ℓ = 1).

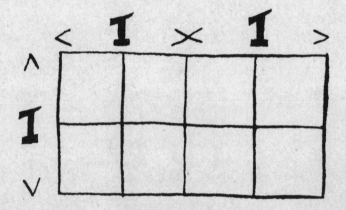

(Sur le schéma, l'échelle est de 0,5.)

Comment peut-on découper ce parchemin de façon
à reconstituer un carré de même surface avec les
morceaux ?

Solution p. 406

LONG RECTANGLE DEVIENDRA CARRÉ

Voici un parchemin rectangulaire dont la longueur (L) mesure 5 et la largeur (ℓ) mesure 1.

(Sur le schéma, l'échelle est de 0,5.)

Comment peut-on découper ce parchemin de façon à reconstituer un carré de même surface avec les morceaux ?

Solution p. 407

 ETTRENRÉBUS 27

Quelle expression se cache derrière ce dessin ?

Solution p. 408

ETTRENRÉBUS 28

Quelle expression se cache derrière ce dessin ?

Solution p. 409

ETTRENRÉBUS 29

Quelle expression se cache derrière ce dessin ?

Solution p. 410

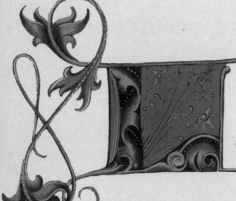ETTRENRÉBUS 30

Quelle expression se cache derrière ce dessin ?

KVANOVANU

Solution p. 411

ALLÉGEANCE

Robin des Bois attrape deux cavaliers dans la forêt de Sherwood, sire Thomas et sire Robert.

L'un a fait allégeance au prince Jean, l'autre au roi Richard.

Lorsque le voleur leur demande à qui ils ont fait allégeance, sire Thomas déclare : « Je suis le serviteur du prince Jean » ; et sire Robert : « Je suis le serviteur du roi Richard. »

Frère Jean, qui connaît les deux hommes, affirme qu'au moins l'un des deux ment.

Comment Robin des Bois parviendra-t-il à connaître la vérité ?

Solution p. 412

ERFS

Un grand seigneur est invité chez son cousin, le duc de Bourgogne.

Souhaitant impressionner le visiteur, dame Marguerite, la duchesse, affirme : « Plus de cent serfs travaillent sur les terres de mon époux. »

Le jeune Eudes, fils du duc, rétorque : « Point du tout ! Je suis certain qu'il y en a moins de cent. »

Blanche, la fille du duc, ajoute : « Je suis sûre, moi, qu'il y en a au moins un ! »

Si un seul de ces propos est vrai, combien de serfs travaillent sur les terres du duc de Bourgogne ?

Solution p. 413

GUEULES CASSÉES

Si 70 % de soldats ont perdu un œil lors d'une bataille,
75 % une oreille, 80 % un bras et 85 % une jambe,
quel pourcentage minimum ont perdu à la fois un œil, une oreille,
un bras et une jambe ?

Solution p. 414

PATTES DE LAPINS

Landry élève des poulets et des lapins.
Quand il compte les têtes, il en trouve huit.
Quand il compte les pattes, il en trouve vingt-huit.
Combien a-t-il de lapin(s) ? et de poulet(s) ?

Solution p. 415

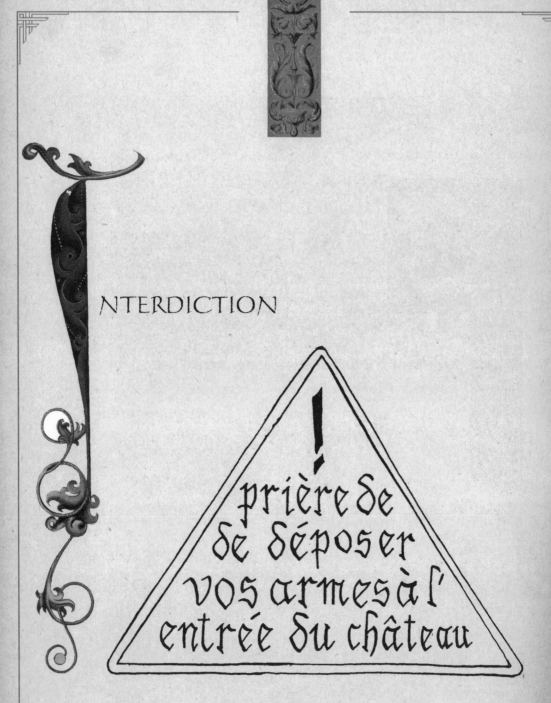

INTERDICTION

!

prière de
de déposer
vos armes à l'
entrée du château

Lisez ce panneau une seule fois et découvrez vite la solution.

Solution p. 416

FFF

En les comptant une seule fois, sauriez-vous dire combien de « F »
comporte ce texte ?

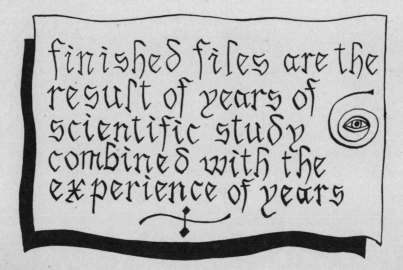

finished files are the
result of years of
scientific study
combined with the
experience of years

Solution p. 417

HISKY

Quelle est la particularité de cette phrase ?

« Saviez-vous que le whisky irlandais, à ne pas confondre avec son homologue écossais, existait déjà bien avant la fin du Moyen Âge ? »

Solution p. 418

ESSAGE SECRET

Quel est le message caché de cette lettre, que l'on attribue à George Sand ?

Je suis très émue de vous dire que j'ai bien compris l'autre soir que vous aviez toujours une envie folle de me faire danser. Je garde le souvenir de votre baiser et je voudrais bien que ce soit là une preuve que je puisse être aimée par vous. Je suis prête à vous montrer mon affection toute désintéressée et sans calcul, et si vous voulez me voir aussi vous dévoiler sans artifice mon âme toute nue, venez me faire une visite. Nous causerons en amis, franchement. Je vous prouverai que je suis la femme sincère, capable de vous offrir l'affection la plus profonde comme la plus étroite en amitié, en un mot la meilleure preuve que vous puissiez rêver, puisque votre âme est libre. Pensez que la solitude où j'habite est bien longue, bien dure et souvent difficile. Ainsi en y songeant j'ai l'âme grosse. Accourez donc vite et venez me la faire oublier par l'amour où je veux me mettre.

Solution p. 419

UITE LOGIQUE 4

Complétez cette suite logique :

124635...

Solution p. 420

QUATION
EN CHIFFRES ARABES

L'équation suivante n'est pas vérifiée :

5+5+5=550

Que faut-il faire pour que, en ajoutant seulement une barre, cette équation soit juste, autrement qu'en barrant le « = » pour qu'il devienne « ≠ » ?

Solution p. 421

TOUR DE GUET

Voici une tour de guet sur laquelle se tiennent huit sentinelles. Comment diviser cette tour en quatre zones identiques, gardées chacune par deux sentinelles ?

Solution p. 422

IGNES DROITES

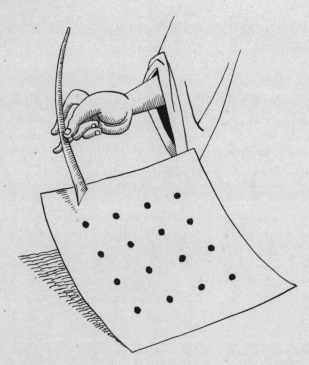

Le moine copiste peut-il relier ces seize points au moyen de six lignes droites tracées sans qu'il lève sa plume du papier ?

Solution p. 423

LE VER ET LE MANUSCRIT

Un manuscrit en dix volumes est rangé dans l'ordre sur un rayonnage de bibliothèque. Chaque volume est épais de 4,5 cm pour les feuilles et de deux fois 0,25 cm pour la couverture. Un ver né en page 1 du volume I se nourrit en traversant perpendiculairement et en ligne droite la collection complète et meurt à la dernière page du dixième volume.
Quelle distance aura-t-il parcourue pendant son existence ?

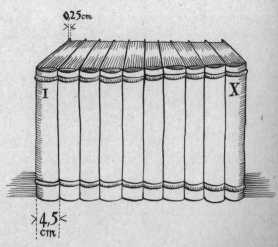

Solution p. 424

CROISEMENT

Des moines quittent l'abbaye de Cluny pour rejoindre celle de Clairvaux. Une heure plus tard, d'autres moines quittent l'abbaye de Clairvaux en direction de l'abbaye de Cluny.

Sachant que les premiers moines parcourent 7 km en une heure et que les seconds, moins rapides, avancent de 5 km par heure, quels sont les moines qui seront les plus proches de l'abbaye de Cluny lorsque les deux communautés se croiseront ?

Solution p. 425

LETTRENRÉBUS 31

Quelle expression se cache derrière ce dessin ?

Solution p. 426

 **L**ETTRENRÉBUS 32

Quelle expression se cache derrière ce dessin ?

Solution p. 427

ETTRENRÉBUS 33

Quelle expression se cache derrière ce dessin ?

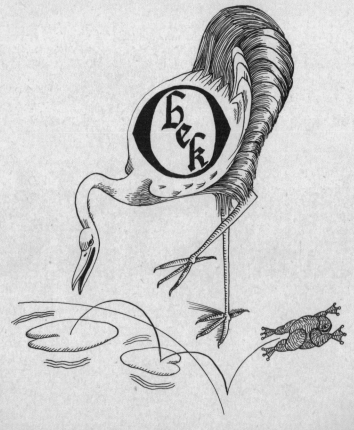

Solution p. 428

ETTRENRÉBUS 34

Quelles expressions se cachent derrière ces dessins ?

KELKUN

TABLO

Solution p. 429

SUITE LOGIQUE 5

Le roi veut tester ses ministres et leur demande de compléter cette suite logique :

Solution p. 430

PAS DE 4 DANS LA SUITE

Pour ceux qui ont trouvé la solution du problème
précédent (et pour ceux qui ont été la lire !),
voici une autre question concernant cette suite :
montrez que le chiffre 4 ne peut jamais apparaître.

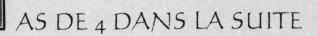

Solution p. 431

LA PÊCHE

Deux pères accompagnés de leur fils respectif vont à la pêche. Chaque personne pêche un poisson. Pourtant, seulement trois poissons sont pêchés. Pourquoi ?

Solution p. 432

 HARRETTE

Un charretier roule à vive allure, dans la campagne, sans qu'aucune lanterne n'éclaire sa route. Il n'y a pas de lune. Une femme habillée de noir passe devant lui. Malgré ces conditions, il parvient à la voir et s'arrête sans la percuter. Pourquoi ?

Solution p. 433

ANS LA BOURSE

Un singe a volé une bourse qui contient deux pièces de monnaie dont la somme fait 30 deniers.

Étant donné que l'une des pièces n'est pas une pièce de 10 deniers et qu'il n'existe que des pièces de 1, 5, 10 et 20 deniers, pouvez-vous dire quelle est la valeur de chacune des pièces ?

Solution p. 434

 HAÎNE

Sire Godefroy souhaite réaliser une chaîne fermée à l'aide
de ces quatre morceaux pour l'offrir à dame Margot :

Briser un maillon coûte 5 livres et il faut en débourser 10 pour
le ressouder. Quel est le moyen le moins cher pour former
une chaîne fermée et combien cela coûtera-t-il à sire Godefroy ?

Solution p. 435

JEU À TROIS

Trois compères, Martin, Eberulf et Léandre terminent un jeu qui s'est déroulé en cinq manches. Ils ont toujours misé avec des pièces de 1 denier et n'ont donc eu, au cours de la partie, que des sommes entières.

À chaque manche, le perdant a doublé les avoirs des deux autres. À la fin de la partie, Martin a 8 deniers, Eberulf en a 9 et Léandre en a 10.
Combien chacun avait-il de deniers au début du jeu ?

Solution p. 436

NCRIER

Un encrier et une plume valent 11 deniers. L'encrier vaut 10 deniers de plus que la plume. Combien vaut l'encrier et combien vaut la plume ?

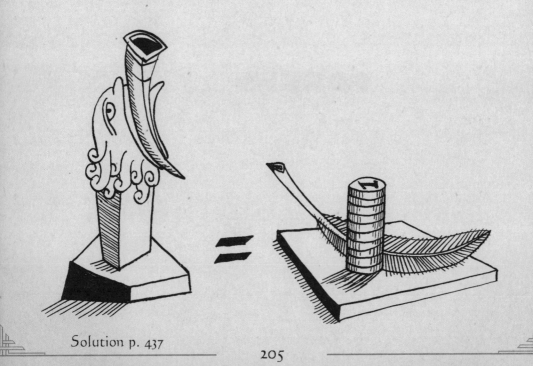

Solution p. 437

REMPLIN

En combien de coups au minimum le diablotin peut-il inverser l'ordre des pions (les noirs à droite et les blancs à gauche), sachant que :
- un pion peut avancer d'une place uniquement,
- un pion peut passer par-dessus un autre pion s'il arrive
  sur une place vide.

Solution p. 438

ATHÉDRALE

Un architecte dessine le plan d'une cathédrale gothique comportant douze piliers disposés en croix latine. Si l'on compte les piliers de A à B, de A à C ou de A à D, on trouve un total de huit piliers. Manquant d'argent pour réaliser son projet, l'architecte doit dessiner un nouveau plan en croix latine pour sa cathédrale ne comportant plus que dix piliers mais sans changer le nombre de piliers sur les axes AB, AC et AD, soit huit piliers. Comment doit-il placer les piliers pour y parvenir ?

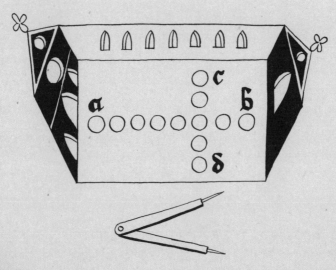

Solution p. 439

 EUX FRÈRES

Pierre et Joannes sont deux frères. Ils veulent déterminer lequel d'entre eux est meilleur cavalier mais leur père ne possède qu'un seul cheval.

Pour se mesurer, ils décident de faire le tour du mur d'enceinte de la ville, qui est jalonné de vingt-quatre tours, placées à équidistance les unes des autres.

Pierre commence à monter le cheval, de la première à la douzième tour, tandis que Joannes, assis derrière lui, le chronomètre à l'aide d'un sablier.

Ensuite, de la douzième à la vingt-quatrième tour, c'est Joannes qui tient les rênes avec Pierre derrière lui pour le chronométrer.

Pierre gagne haut la main. Aurait-on pu prévoir ce résultat ?

Solution p. 440

 UELS

Un tournoi de chevalerie entre n participants est organisé. Le principe est l'élimination directe : un chevalier qui a perdu un duel contre un adversaire doit quitter le tournoi.

Quel est le nombre de duels (final compris) en fonction du nombre de chevaliers prenant part au tournoi ?

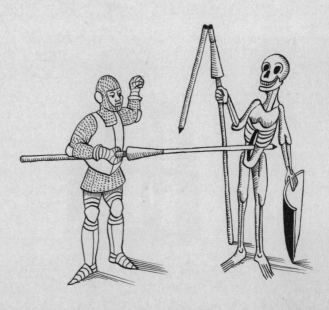

Solution p. 441

ETTRENRÉBUS 35

Quelle expression se cache derrière ce dessin ?

Solution p. 442

LETTRENRÉBUS 36

Quelle expression se cache derrière ce dessin ?

Solution p. 443

 ETTRENRÉBUS 37

Quelle expression se cache derrière ce dessin ?

Solution p. 444

LETTRENRÉBUS 38

Quel titre d'œuvre littéraire se cache derrière ce dessin ?

TRLOEPE

Solution p. 445

TROIS FILLES

À une paysanne qui lui demande l'âge de ses trois filles,
une femme répond :

« La multiplication de leurs trois âges est égale à 36.

– Je ne peux pas savoir quel est leur âge !

– La somme de leurs trois âges est égale au nombre d'œufs
que j'ai dans mon panier. »

La paysanne compte les œufs et continue :

« Je ne vois toujours pas.

– L'aînée est blonde.

– Oui da, maintenant je sais ! »

Comment a-t-elle fait ? Quel est l'âge des trois filles ?

Solution p. 446

OSIER

Sœur Blanche plante un rosier dans les jardins de l'abbaye de Fontevrault. À une sœur qui lui demande la taille du rosier, elle répond :

« Il mesure 30 cm, plus la moitié de sa propre hauteur. »

Combien le rosier mesure-t-il ?

Solution p. 447

IERGES

Frère Luc est l'intendant de l'abbaye. Très économe, il réutilise les bouts de cierges usagés pour en faire de nouveaux. Il est capable de reconstituer un cierge à partir de trois bouts de cierges qu'il fond. Combien pourra-t-il reconstituer de cierges avec les neuf bouts de cierges qu'il a récupérés ce matin dans l'abbatiale ?

Solution p. 448

INCENDIE

Les troupes de Louis IX pénètrent par l'ouest dans une immense forêt de 50 km de long et se dirigent vers l'est. Leur vitesse maximale de marche est de 10 km/h. Ce jour-là, le vent souffle à 80 km/h vers l'est.

Une heure plus tard, les troupes ennemies allument un feu sur la largeur complète de la frontière ouest de la forêt.

Le vent propage alors le feu vers l'est à 80 km/h.

Le roi comprend que le feu rattrapera ses troupes avant qu'elles soient sorties de la forêt.

Que fait-il pour sauver ses hommes ?

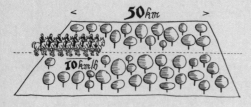

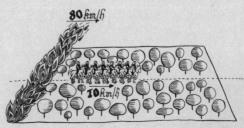

Solution p. 449

TRIANGLE RENVERSANT

Un archer décoche une série de flèches formant un triangle dont la pointe est à gauche. Comment obtenir le même triangle, avec la pointe à droite, en ne déplaçant que trois flèches ?

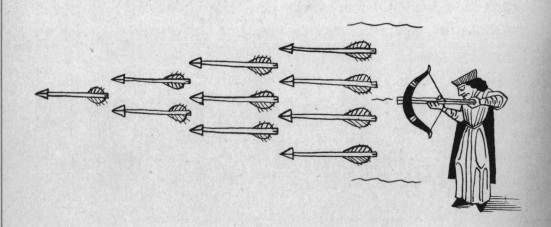

Solution p. 450

 OSACE

Devant la rosace de la cathédrale, frère Abelante se demande :
« Quel cercle gris est le plus grand, celui de dessus ou celui
de dessous ? »

Solution p. 451

UITE LOGIQUE 6

Sur la couverture d'un manuscrit poussiéreux de la grande bibliothèque, frère Claude découvre ces symboles. Aidez-le à compléter cette suite logique.

Solution p. 452

PÈRE ET FILS

Quand on additionne l'année de naissance d'un père, celle de son fils, l'âge du père et l'âge du fils, qu'obtient-on ?

ETTRENRÉBUS 39

Quelle expression se cache derrière ce dessin ?

Solution p. 454

 ETTRENRÉBUS 40

Quelle expression se cache derrière ce dessin ?

LUNDI
mardi
MERCREDI
jeudi
VENDREDI
SAMEDI
DIMANCHE

Solution p. 455

LETTRENRÉBUS 41

Quel titre de film se cache derrière ce dessin ?

Solution p. 456

L ETTRENRÉBUS 42

Quelle expression se cache derrière ce dessin ?

ORTURE

Vous êtes soumis à la question. Le bourreau vous fait une faveur :
« Vous pouvez faire une dernière déclaration qui déterminera
la manière dont vous mourrez ! Si votre affirmation est fausse,
vous serez écartelé, si elle est vraie, vous serez brûlé vif ! »
Ne trouvant aucune de ces propositions alléchantes, vous cherchez
à faire une déclaration pour vous sortir de cette situation.
Laquelle ?

   Solution p. 458

 A LANCE

Un chevalier, muni d'une lance de cinq pieds de long, se présente devant la herse du château de son seigneur. Le garde lui refuse l'entrée du château, prétextant que les objets d'une longueur de plus de quatre pieds y sont interdits.

Le chevalier se rend alors chez un menuisier, qui réalise pour lui un grand étui dans lequel mettre sa lance. Le chevalier retourne alors au château muni de l'étui et, cette fois-ci, le garde le laisse entrer. Comment est-ce possible ?

Solution p. 459

ESCALIER

Un architecte florentin peut bâtir l'escalier hélicoïdal d'un château en six semaines.

Un architecte flamand peut réaliser le même escalier en trois semaines seulement.

Combien de temps leur faudrait-il pour bâtir l'escalier du château s'ils unissaient leurs forces ?

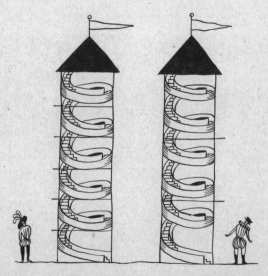

Solution p. 460

UN MILLION DE CHEVEUX

Avant la peste noire qui s'abattit sur l'Europe au XIVᵉ siècle, le royaume de France comptait environ seize millions d'habitants, et aucun ne possédait plus d'un million de cheveux sur la tête. Peut-on être sûr que deux personnes dans le royaume avaient exactement le même nombre de cheveux ?

Solution p. 461

ROIS SUISSES

Trois Suisses ont un frère commun. Quand ce frère meurt, les trois Suisses n'ont alors plus de frère. Comment est-ce possible, sachant qu'il n'est pas question de demi-frère ?

Solution p. 462

AISON PLEIN SUD

Les quatre façades d'une même maison sont exposées plein sud. Comment est-ce possible ?

Solution p. 463

 ETTRENRÉBUS 43

Quelle expression se cache derrière ce dessin ?

GÉOCUÇTÇTÇEÇS

Solution p. 464

LETTRENRÉBUS 44

Quelle expression se cache derrière ce dessin ?

nkefekunz

Solution p. 465

PASSE-TEMPS

Le cuisinier du duc de Guise prépare un faisan que son maître a rapporté de la chasse.

Il veut l'accompagner d'une sauce au vin qu'il doit laisser réduire pendant 9 minutes.

Il dispose de deux sabliers, un gros permettant de chronométrer 7 minutes et un petit permettant de chronométrer 4 minutes.

Comment doit-il faire pour mesurer 9 minutes ?

Solution p. 466

LE MOT DE LA FIN

A.1.2.C.4

Solution p. 467

SOLUTIONS

PHILTRE D'AMOUR

À l'étape 6, il reste bien 4 dl dans le pot de 5 dl.

Solution du jeu p. 6

E L'EAU DANS SON VIN

Supposons qu'il y ait 80 % d'eau et 20 % de vin dans la première chope à la fin de la manœuvre. Les 20 % d'eau qui manquent doivent être dans l'autre chope, de même que les 80 % de vin manquant. Au départ, on avait la même quantité de chaque liquide. Les proportions dans la deuxième chope doivent donc être de 20 % d'eau et de 80 % de vin. Ainsi, on voit que les proportions sont parfaitement inversées : 80/20 contre 20/80.

Il y a donc autant de vin dans la première chope qu'il y a d'eau dans la seconde, et autant de vin dans la seconde qu'il y a d'eau dans la première.

Solution du jeu p. 7

 OURSE CYCLISTE

Roland termine quatrième.

En effet, en dépassant le deuxième, il se place lui-même en deuxième position (et non en première). Ainsi, lorsque les deux concurrents le dépassent, il se retrouve en quatrième position.

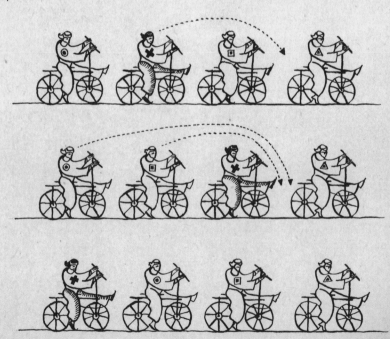

Solution du jeu p. 8

 LOCHES

Les trois secondes écoulées pour sonner les quatre heures
correspondent aux intervalles entre les sonneries et non au nombre
de sonneries. Pour sonner les douze coups de midi, Quasimodo
mettra donc onze secondes, correspondant aux onze intervalles
séparant les douze coups.

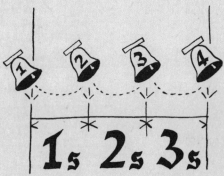

TRIANGLE À TROUS

Voici une solution :

111

55 | 56

22 | 33 | 23

5 | 17 | 16 | 7

3 | 2 | 15 | 1 | 6

Solution du jeu p. 10

ASSE-TÊTE

ETTRENRÉBUS 1

Rien dans les mains,
rien dans les poches !

Solution du jeu p. 12

 ETTRENRÉBUS 2

Plus de peur que de mal !

Solution du jeu p. 13

 IEN DE PARENTÉ

Le père de mon fils = moi (logique, non ?).
Donc la phrase devient : « Si le fils de cet homme,
c'est "moi", quel est le lien de parenté entre cet homme
et moi ? »

Ce qui est plus simple : cet homme est votre père.

Solution du jeu p. 14

 OMME DE 1 À 100

On peut remarquer que :

1 + 100 = 101

2 + 99 = 101

etc.

Donc la somme vaut :

50 × 101 = 5 050

Vu autrement :

$$1 + 2 + 3 + ... + (n - 1) + n = n (n + 1) : 2$$

avec $n = 100$

$$1 + 2 + 3 + ... + 100 = 100 × 101 : 2 = 5 050$$

Solution du jeu p. 15

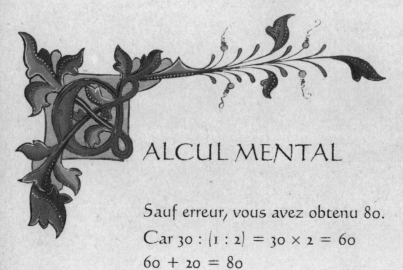

ALCUL MENTAL

Sauf erreur, vous avez obtenu 80.

Car 30 : (1 : 2) = 30 × 2 = 60

60 + 20 = 80

Solution du jeu p. 16

CHACUN SA PLACE

Il suffit de les placer dos à dos !

Solution du jeu p. 17

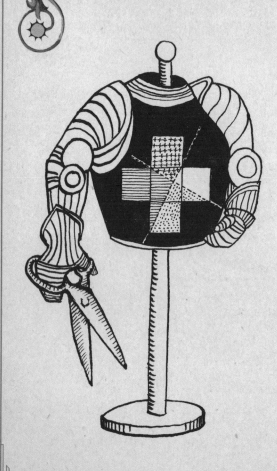

ÉCOUPAGE EN CARRÉ

Solution du jeu p. 18

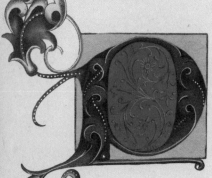

OISSON

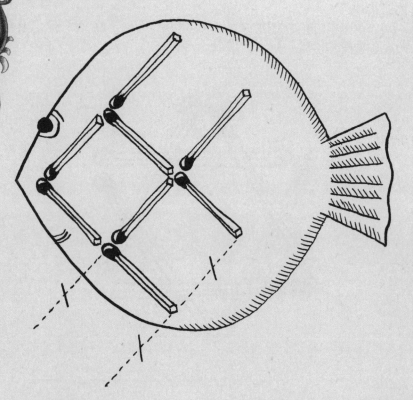

Solution du jeu p. 19

RIANGLES EN ALLUMETTES 1

Il suffit à l'apprenti charpentier de construire l'étoile de David (qui a dit que les triangles devaient être tous de la même taille ?).

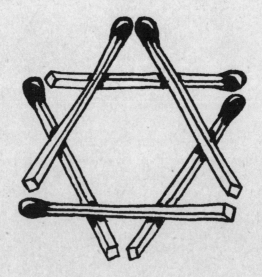

Il est fréquent que l'on ajoute soi-même des contraintes au problème posé…

Solution du jeu p. 20

LE MOINE ET LA MONTAGNE

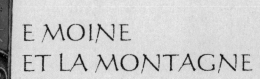

Oui, cet endroit existe. Pour le mettre en évidence, faisons partir deux moines à 9 h tous les deux : l'un partirait d'en bas et l'autre d'en haut. Puisqu'ils sont sur le même chemin, ils se croiseront forcément !

Solution du jeu p. 21

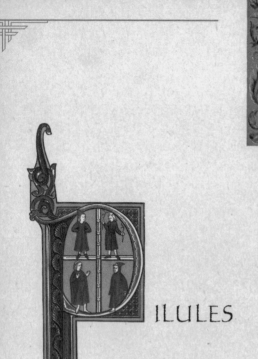

PILULES

Il se sera écoulé 1 h 45.

Solution du jeu p. 22

TRIANGLE DE CURRY

Les deux écus ne sont pas des triangles. Observez, les points A, D et G : ils ne sont pas alignés.

En effet, la pente de l'hypoténuse du triangle ADB est différente de celle du triangle DGE : le point D se retrouverait à droite de la droite (AG) s'il nous prenait l'envie de la tracer. Il en est de même pour le point F. De ce fait, la figure ACFGD a une surface inférieure à un triangle ACG imaginaire. De même, sur le deuxième écu, les points HJL et IKL ne sont pas alignés : les points J et K sont à l'extérieur d'un triangle HIL. Du fait que le premier écu a une surface inférieure à celle d'un « vrai » triangle et le deuxième une surface supérieure, il est normal d'observer une différence de surface entre les deux. Sur le dernier schéma, les deux écus ont été superposés. S'ils formaient des triangles, la surface AJGD aurait une aire nulle.

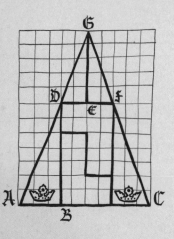

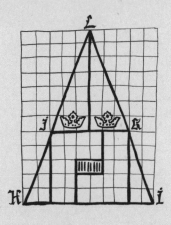

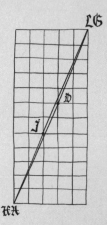

Solution du jeu p. 23

 ARALLÉLÉPIPÈDE

Non ! AB = AC
Curieux, non ?

Solution du jeu p. 24

ETTRENRÉBUS 3

En tout bien tout honneur.
(En « TOUBIEN » « TOUTONEUR ».)

Solution du jeu p. 25

LETTRENRÉBUS 4

De but en blanc.
(Deux « BUT » en blanc.)

Solution du jeu p. 26

$$1 = 2 ?$$

L'erreur se situe au niveau du passage de la ligne 6 à la ligne 7.
On divise par (a − b)... ce qui vaut 0. La division par 0
est bien sûr interdite.

Solution du jeu p. 27

EUX ÉCRITURES POUR UN MÊME NOMBRE ?

La réponse à la question est oui !
Il est vrai que $1 = 0,999\,999\,999\,999\,99\ldots$
Et le calcul en était la démonstration rigoureuse.

Remarque : pour le passage de la ligne 3 à la ligne 4,
il faut savoir que l'infini − 1, c'est encore l'infini.

Autre démonstration (mais moins belle) :

$$1 = 3 \times (1 : 3) = 3 \times 0,333\,333\ldots = 0,999\,999\ldots$$

Solution du jeu p. 28

BRACADABRA

Vous n'avez pas le choix pour le A initial.
Puis vous avez deux possibilités pour le B, et encore
deux possibilités entre le B choisi et les deux R contigus.
Ainsi de suite sur 10 rangs qui imposent un choix.
Cela donne 2^{10} façons de lire le mot ABRACADABRA,
soit 1 024.

Solution du jeu p. 29

ÉVEIL MÉCANIQUE

Vous dormirez une heure.

En effet, un réveil à aiguilles ne différencie pas 10 h 00 et 22 h 00.

Il sonnera donc à 22 h 00.

TROUBADOUR

Il a jonglé !
S'il a jonglé avec les objets tout le long de la traversée du pont,
il y a toujours eu un objet qui n'était pas dans les mains
du troubadour.

Solution du jeu p. 31

SUITE LOGIQUE 1

H N D

Les termes de cette suite correspondent
aux initiales des chiffres : « Un, Deux ,Trois,
Quatre, Cinq, Six, Sept, Huit, Neuf, Dix... »

123456789

Solution du jeu p. 32

VERRIERS

Voici une solution envisageable :

Solution du jeu p. 33

 OUCLIER À CLOUS

Solution du jeu p. 34

ERTICALITÉ

Il s'agit d'un palindrome vertical !
En effet, cette phrase de Georges
Perec peut être lue indifféremment
de haut en bas ou de bas en haut
(en retournant le mât) sans que le
sens diffère : « Andin Basnoda a
une épouse qui pue. »

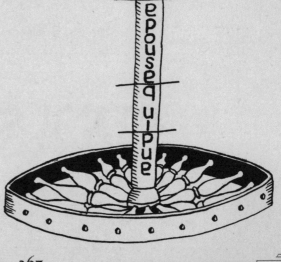

Solution du jeu p. 35

CHARADE

En Général mon premier n'est qu'un début.

Mon deuxième termine mon premieR.

Mon troisième est le A de « Paris » sans lequel le mot devient « pris ».

Mon quatrième est l' S (ace) qui ne peut être rattrapé au tennis.

Mon cinquième est le S (esse) qui tient le quartier de viande chez le boucher.

Mon sixième est l' E qui peut être dans l'eau (œ).

Mon tout est l'adjectif GRASSE.

GRASSE

Solution du jeu p. 36

 ALLE DES GARDES

Dans la salle des gardes, il y a autant d'armes que d'hommes, soit 600.

En effet, 5 % (soit 30 de ces hommes) en portent une. Parmi les 570 qui restent, représentant 95 %, la moitié en porte deux et l'autre moitié aucune : cela revient au même que s'ils en portaient tous une.

Ce qui donne 570 + 30 = 600 armes.

Solution du jeu p. 37

 UESTION D'ÂGE

État des lieux :

Âge	Avant	Maintenant
Maître	x	40
Élève	y	z

Que peut-on dire ?

• $40 = 4 \times y$ car « j'ai quatre fois l'âge que vous aviez »
donc : $y = 10$

Âge	Avant	Maintenant
Maître	x	40
Élève	10	z

• $z = x$ car « j'avais l'âge que vous avez »

Âge	Avant	Maintenant
Maître	x (ou z)	40
Élève	10	z (ou x)

• L'écart entre les âges est le même quelle que soit l'époque, donc :

$x - 40 = 10 - x$

$2 \times x = 50$

$x = 25$

L'élève a donc vingt-cinq ans.

Solution du jeu p. 38

ETTRENRÉBUS 5

Mi-figue mi-raisin.

Solution du jeu p. 39

 **ETTRENRÉBUS 6**

Manque de bol !
(Manquent deux « bol ».)

Solution du jeu p. 40

 TRIANGLES EN ALLUMETTES 2

Il faut penser en 3 D !

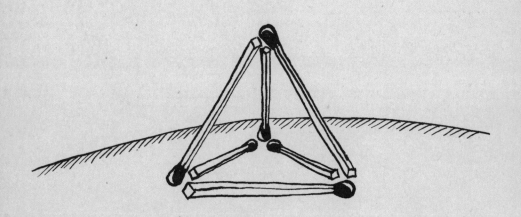

Solution du jeu p. 41

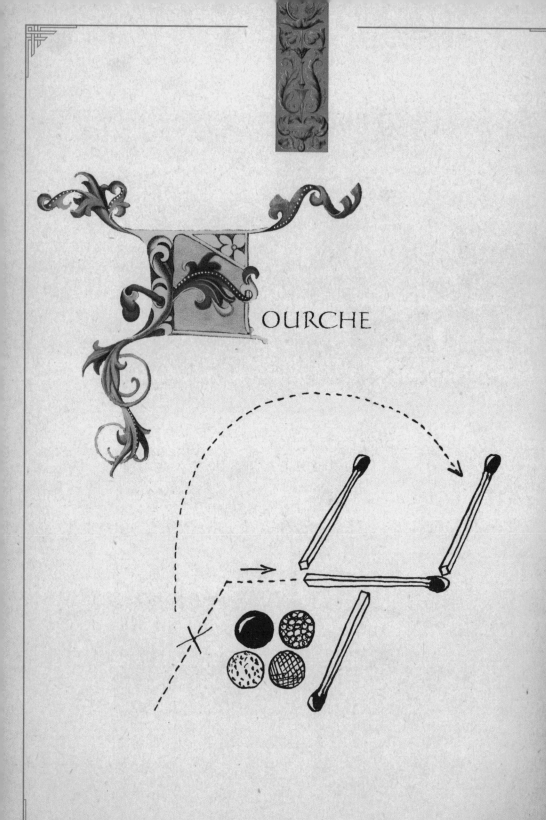

OURCHE

Solution du jeu p. 42

274

 YMBOLES

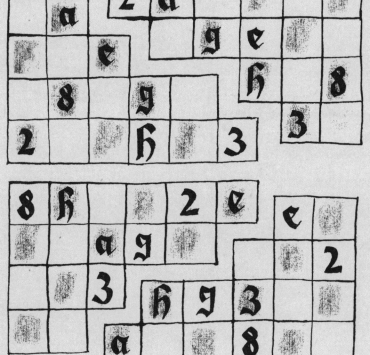

Solution du jeu p. 43

NEUF POINTS

Voici une manière de faire :

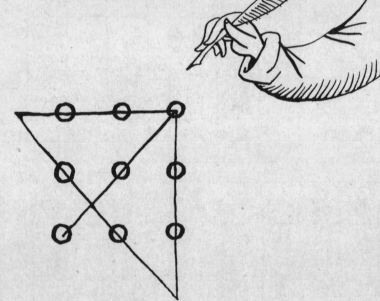

Sortir du cadre formé par les huit points extérieurs n'était pas interdit…

Solution du jeu p. 44

je porte une plume *noire*

L'ILE INDIENNE

Perceval est le vainqueur, en affirmant qu'il porte une plume noire sur son heaume. Son raisonnement est le suivant :

« Je sais qu'il y a deux plumes noires et deux blanches. Gauvain me voit, donc si ma plume avait été de la même couleur que celle de Galaad, qu'il voit également, il en aurait déduit la couleur de sa plume, forcément différente de la nôtre. Puisqu'il se tait, cela signifie que ma plume est d'une couleur différente de celle de Galaad. Je vois que Galaad porte une plume blanche, c'est donc que la mienne est noire. »

Solution du jeu p. 45

UN LOUP, UNE CHÈVRE ET UN CHOU

Il vous faudra d'abord traverser avec la chèvre et revenir
en la laissant seule.
Puis vous ferez traverser le loup et vous reviendrez avec la chèvre.
Vous laisserez la chèvre et vous traverserez avec le chou.
Enfin, vous reviendrez seul sur la rive de départ et vous ferez
traverser la chèvre.

Solution du jeu p. 46

 OUSTRACTION

Une seule fois.

Après cela, on soustrait de 30 mais plus de 36 !

Solution du jeu p. 47

 ANUSCRIT

Les pages du manuscrit comportant le chiffre 9 sont :
9-19-29-39-49-59-69-79-89-99 (attention : 99 comporte
deux fois le chiffre 9), mais aussi :
90-91-92-93-94-95-96-97-98 que l'on oublie souvent !
Le clerc inscrira donc 20 fois le chiffre 9 en paginant
le manuscrit.

Solution du jeu p. 48

HANDICAPS

Il vous reste trois sens. Pour ceux qui ont répondu deux, sachez que la parole n'est pas un sens !

Solution du jeu p. 49

BALLE

Il lui suffit d'uriner dans le trou pour que la balle en osier remonte à la surface !

Solution du jeu p. 50

LETTRENRÉBUS 7

(Avoir) les yeux plus grands que le ventre.
(Les « IE » plus grands que le « VENTRE ».)

Solution du jeu p. 51

ETTRENRÉBUS 8

Vider son sac.

Solution du jeu p. 52

TENDARD

Il fallait s'apercevoir que le 1 et le 8 ont un caractère particulier : ils ne sont pas à considérer comme consécutifs, c'est-à-dire que ce sont les deux seuls chiffres à n'avoir qu'un seul voisin interdit (respectivement le 2 et le 7).

En partant de là, on place ces deux chiffres sympathiques dans les deux cases du centre de l'étendard (celles qui ont le plus de contacts avec d'autres) ; puis on place le 2 et le 7 dans les seules cases qui puissent les accepter : ce sont les cases latérales, le 2 au contact du 8 et le 7 à côté du 1. Enfin, on place judicieusement les quatre autres chiffres dans les cases inférieures et supérieures de l'étendard. Une solution possible est la suivante :

	6	4	
2	8	1	7
	5	3	

Et voilà, le tour est joué !

Solution du jeu p. 53

RIANGLE ET SOMMES

Sur le côté 1-2, il manque 14 que l'on peut obtenir sous la forme de 5 + 9 ou 6 + 8.

Sur le côté 2-3, il manque 12 que l'on peut obtenir sous la forme de 4 + 8 ou 5 + 7.

Sur le côté 1-3, il manque 13 que l'on peut obtenir sous la forme de 4 + 9, 5 + 8 ou 6 + 7.

Par élimination, cela donne :

côté 1-2 : 5 + 9
côté 2-3 : 4 + 8
côté 1-3 : 6 + 7

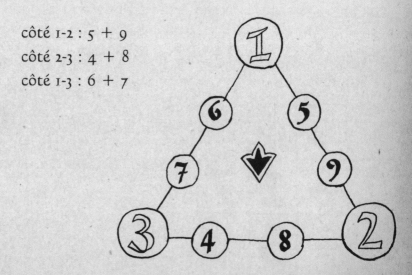

Solution du jeu p. 54

IERRES PRÉCIEUSES

1a. Le roi choisit au hasard trois pierres pour le plateau de gauche, et trois pour celui de droite. Si les plateaux sont en équilibre, la fausse pierre est l'une des trois autres (le trio lourd) et il procède à l'étape 2a.

1b. Si, en revanche, un plateau pèse plus lourd, le roi sait que la fausse pierre s'y trouve ; il procède alors à l'étape 2a avec ce trio lourd.

2a. Le roi choisit au hasard une pierre du trio lourd pour le plateau de gauche et une pour celui de droite. Si les plateaux sont en équilibre, il peut en déduire que la fausse pierre est la troisième du trio.

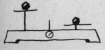

2b. Si, en revanche, un plateau est plus lourd, cela signifie que la fausse pierre s'y trouve.

Solution du jeu p. 55

NIVEAU DE VIN

Les deux hommes doivent pencher le
tonnelet jusqu'à ce que le vin atteigne
le bord, puis regarder le fond du baril.
Si le vin recouvre entièrement la base,
même un peu plus, c'est qu'il remplit plus
de la moitié du tonnelet ; en revanche,
si l'on voit une partie de la base du tonnelet,
c'est que le vin en remplit moins de la moitié.

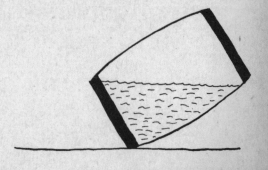

Solution du jeu p. 56

GALITÉ

On divise tout d'abord 2036 par 4, ce qui donne 509.
L'astuce est alors de penser en chiffres romains.
En effet, 500 s'écrit D et 9 s'écrit IX.
509 s'écrit donc DIX.

$$2036 : 4 =$$

509

DIX

Solution du jeu p. 57

 RÔLE D'ÉGALITÉ

À n'importe quelle époque : 31 en octal (c'est-à-dire en base 8) vaut toujours 25 en décimal (c'est-à-dire en base 10).

Base 10	Base 8
1	→ 1
2	→ 2
3	→ 3
4	→ 4
5	→ 5
6	→ 6
7	→ 7
8	→ 10
9	→ 11
10	→ 12
11	→ 13
12	→ 14
13	→ 15

Base 10	Base 8
14	→ 16
15	→ 17
16	→ 20
17	→ 21
18	→ 22
19	→ 23
20	→ 24
21	→ 25
22	→ 26
23	→ 27
24	→ 30
25	→ 31
	...

Solution du jeu p. 58

ÉCOUPAGE

Solution du jeu p. 59

ACCORDEMENTS

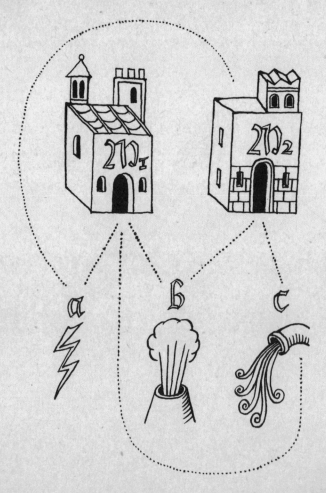

Solution du jeu p. 60

LLUMETTES 1

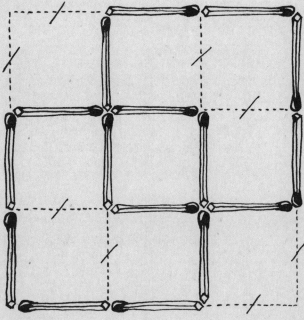

Solution du jeu p. 61

LLUMETTES 2

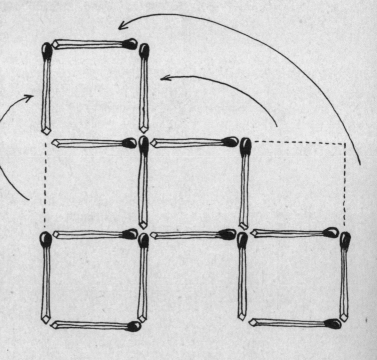

Solution du jeu p. 62

OUT DANS LA TÊTE

On obtient 1.

Solution du jeu p. 63

AIRE 24 AVEC 5, 5, 5 ET 1

$1 : 5 = 0,2$

$5 - 0,2 = 4,8$

$4,8 \times 5 = 24$

Qui a dit que les nombres devaient rester entiers ?
Encore une fois, on constate que l'esprit humain
ajoute naturellement des contraintes aux problèmes
auxquels il s'attaque...

Solution du jeu p. 64

ETTRENRÉBUS 9

C'est le monde à l'envers.

(« C » + LEMONDE écrit à l'envers.)

LETTRENRÉBUS 10

À vos souhaits !
(« AVO » sous « È »)

Solution du jeu p. 66

PRÉDICTION

Le 02/02/2000 marque la première fois depuis
le 28/08/888 où tous les chiffres de la date sont pairs.

Solution du jeu p. 67

TOURNOI

Une seule personne se rend au tournoi :

Vous !

Solution du jeu p. 68

UI PERD GAGNE

Chaque chevalier a enfourché le cheval de l'autre !

Solution du jeu p. 69

Cas n° 1

Cas n° 5

Cas n° 2

Cas n° 6

Cas n° 3

Cas n° 7

COIFFE

Cas n° 4

La dame fait le raisonnement suivant :

Cas n° 1 : impossible car la première dame aurait répondu « OUI » en voyant deux coiffes blanches, la sienne ne pouvant être que noire.

Cas n° 2 : impossible car la deuxième dame aurait répondu « OUI » en voyant deux coiffes blanches, la sienne ne pouvant être que noire.

Cas n° 3 : impossible car la deuxième dame aurait répondu « OUI », tenant compte de la réponse de la première (cas n° 1), sa coiffe ne pouvant être que noire.

Cas n° 4 : cas possible.

Cas n° 5 : cas possible.

Cas n° 6 : cas possible.

Cas n° 7 : cas possible.

Conclusion : dans les quatre derniers cas possibles, la coiffe de la dame aveugle ne peut être que noire, ce qui lui permet de répondre « OUI ».

Solution du jeu p. 70

QUATION
EN CHIFFRES ROMAINS 1

Il faut la lire à l'envers :

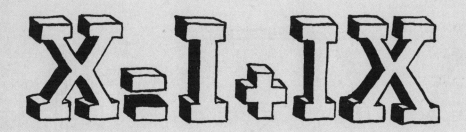

Solution du jeu p. 71

ÉQUATION
EN CHIFFRES ROMAINS 2

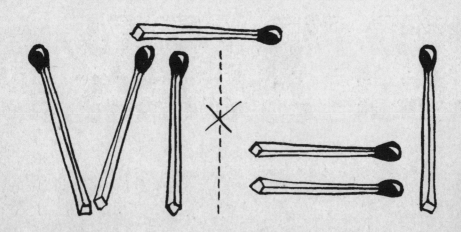

(La racine carrée de 1 vaut 1.)

Solution du jeu p. 72

 ETTRENRÉBUS 11

S'en aller en eau de boudin.

(100 « nalé » en « O » de « BOUDIN ».)

Solution du jeu p. 73

ETTRENRÉBUS 12

Pousser comme un champignon.

Solution du jeu p. 74

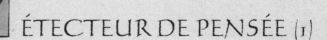

ÉTECTEUR DE PENSÉE (1)

Le symbole trouvé est « S ».

Le résultat trouvé est toujours un multiple de 9 inférieur à 90, il a donc suffi de créer une grille comportant le même symbole pour les cases 9, 18, 27, 36, 45, 54, 63, 72 et 81 !

Solution du jeu p. 75

ÉTECTEUR DE PENSÉE (2)

Désolé, il n'y a pas d'éléphant au Danemark !

Solution du jeu p. 76

ARRÉ EN ALLUMETTES

Il ne fallait pas prendre carré dans son sens géométrique mais arithmétique :

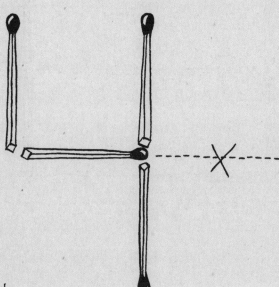

4 est le carré de 2.

INQ CARRÉS

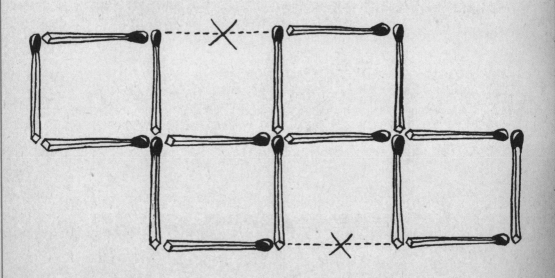

Solution du jeu p. 78

ES CHEMINS

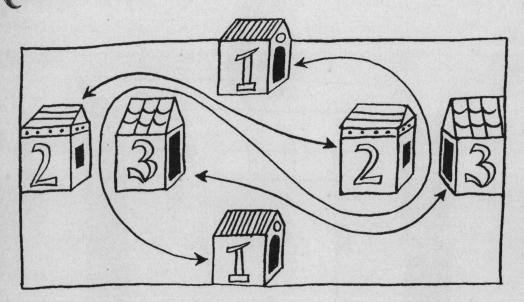

Solution du jeu p. 79

 SOLEMENT

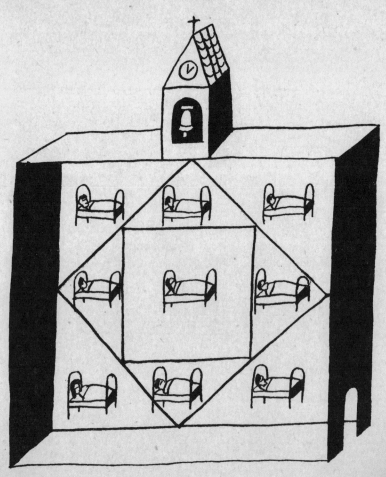

Solution du jeu p. 80

UIT REINES

Voici une solution :

	a	b	c	d	e	f	g	h
8				♛				
7		♛						
6							♛	
5			♛					
4						♛		
3								♛
2	♛							
1				♛				

Solution du jeu p. 81

UATRE REINES ET UN FOU

Une solution possible est de placer les reines en C5, D3, E4 et H8, et enfin le fou en A2.

	a	b	c	d	e	f	g	h
8								♛
7								
6								
5			♛					
4					♛			
3				♛				
2	♝							
1								

Solution du jeu p. 82

 ERCLE VICIEUX

Trois ne peut pas convenir, car il contient un R.
Quatre convient alors.
La phrase correcte est : « Dans ce cercle le "r"
est présent quatre fois. »

Solution du jeu p. 83

CCURRENCES

Pour être vraie, la phrase doit être complétée de la façon suivante :

« Dans cette phrase, le nombre d'occurrences de 0 est 1, de 1 est 7, de 2 est 3, de 3 est 2, de 4 est 1, de 5 est 1, de 6 est 1, de 7 est 2, de 8 est 1, et de 9 est 1. »

Le code du coffre est donc : 1732111211.

Au départ, la seule certitude est que le nombre de 0 est 1.
Il faut ensuite résoudre ce casse-tête par tâtonnement, le plus rapide étant ensuite d'examiner le cas du 9, puis du 8...

Solution du jeu p. 84

 ETTRENRÉBUS 13

Sur la route (de Jack Kerouac).
(Sur « LARD » « AOÛT ».)

Solution du jeu p. 85

LETTRENRÉBUS 14

Un poil dans la main.

Solution du jeu p. 86

 OINT COMMUN

Il s'agit de palindromes, c'est-à-dire que ces phrases peuvent être lues indifféremment de gauche à droite ou de droite à gauche.

Solution du jeu p. 87

 MBIGUÏTÉS

Ce sont des vers holorimes, c'est-à-dire qu'ils riment complètement, le second étant une répétition phonétique du premier.
Les quatre premiers sont de Lucien Raymond,
les suivants de Georges Dazet.

Solution du jeu p. 88

APIS

Voici la découpe à effectuer dans le tapis :

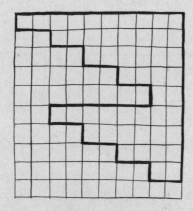

Et voici la pièce ainsi couverte :

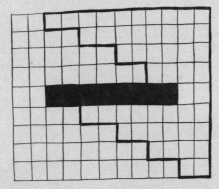

Solution du jeu p. 89

 VALON

Voici comment faire :

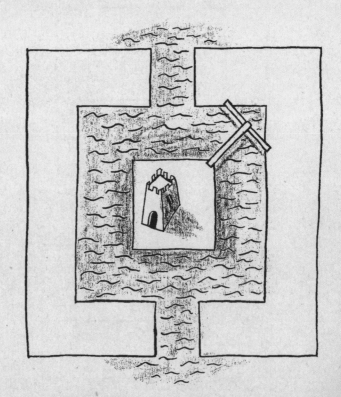

Solution du jeu p. 90

UITE LOGIQUE 2

... T T ...

Les termes de cette suite correspondent aux lettres finales des chiffres uN deuX troiS quatrE cinQ siX sepT huiT...

Solution du jeu p. 91

SUITE LOGIQUE 3

1 (2,3) 2 (5,6) 4 (11,30) 26 (41,330) 304

Chaque nombre précédant une parenthèse est la différence
entre le deuxième nombre de la parenthèse précédente
et le nombre précédant cette parenthèse.
Exemple : 2 = 3 − 1
Le premier nombre de chaque parenthèse est égal à
la somme des deux nombres de la parenthèse précédente.
Exemple : 11 = 5 + 6
Le deuxième nombre de chaque parenthèse est égal au
produit des deux nombres de la parenthèse précédente.
Exemple : 30 = 5 × 6
Les trois nombres qui complètent la suite sont donc
(41, 330) 304 :
11 + 30 = 41
11 × 30 = 330
330 − 26 = 304

Solution du jeu p. 92

TINÉRAIRE MEURTRIER

L'astuce consiste à revenir dans la première cellule (celle-ci ne contenant pas de cadavre !) après le premier meurtre…

Ainsi, il existe plusieurs itinéraires pour réussir l'évasion ! Une solution possible était :

Solution du jeu p. 93

ORLOGE

Lorsque Aucassin part de chez lui, il remonte son horloge et
la règle sur 12 h. Lorsqu'il va voir Nicolette, il regarde sur l'horloge
de la façade de l'église l'heure de son arrivée et celle de son départ.
Quand il rentre chez lui, il regarde son horloge à foliot et sait alors
combien de temps il a passé hors de chez lui.
En retranchant de ce temps le temps passé avec son amie,
il sait le temps qu'il a marché…
En ajoutant la moitié de ce temps à l'heure à laquelle il a quitté
Nicolette, il obtient l'heure véritable.

Solution du jeu p. 94

 Ù EST LE PÈRE ?

Soit x l'âge en années du fils et soit y l'âge en années de Dame Berthe sa mère.

Dame Berthe a vingt et un ans de plus que son fils.

On peut alors poser : $x + 21 = y$

Dans six ans, il sera cinq fois plus jeune que sa mère.

On peut alors poser : $5 \times (x + 6) = y + 6$

De cette équation on tire :

$5x + 30 = y + 6$

$y = 5x + 24$

On remplace y dans la première équation :

$x + 21 = 5x + 24$

$-3 = 4x$

$x = -3 : 4 \text{ an} = -9 \text{ mois}$

Le père est donc tout près de la mère !

21

Tout près!

Solution du jeu p. 95

# LE SPHINX

L'homme : dans son enfance, il marche à quatre pattes, à l'âge adulte, il se tient debout sur ses deux jambes, enfin, dans sa vieillesse, il s'aide d'un bâton pour se déplacer.

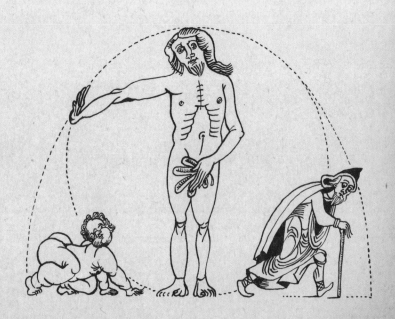

Solution du jeu p. 96

NFANTS

L'autre moitié des enfants sont aussi des filles !

Solution du jeu p. 97

RSENIC

Il suffit à la reine de numéroter les douze boîtes de 1
à 12, de gauche à droite. Ensuite elle doit prendre :
– 1 pilule dans la boîte 1,
– 2 pilules dans la boîte 2,
– 3 pilules dans la boîte 3,
etc.
– 12 pilules dans la boîte 12.

Enfin, elle pèse ensemble toutes les pilules prélevées
dans les boîtes, soit 78 au total. Si toutes étaient
des pilules curatives, elles pèseraient :
$78 \times 10 = 780$ g
Sachant qu'une pilule d'arsenic pèse 1 g de moins,
il suffit alors de calculer la différence avec ce résultat.
Par exemple, si la reine trouve 777 g, c'est la boîte 3
(dans laquelle elle a pris 3 pilules) qui contient l'arsenic.

La favorite n'a alors plus qu'à compter... ses jours !

Solution du jeu p. 98

A TRAVERSÉE DU PONT

Tout d'abord, A et B traversent, ce qui prend 2 minutes.

Ensuite, A rapporte la torche, nous en sommes à 3 minutes écoulées.

C et D traversent le pont, le chronomètre indique 13 minutes.

B rapporte la torche, nous en sommes à 15 minutes.

A et B traversent le pont, et 17 minutes se sont écoulées depuis le départ. Vite, la goule revient !

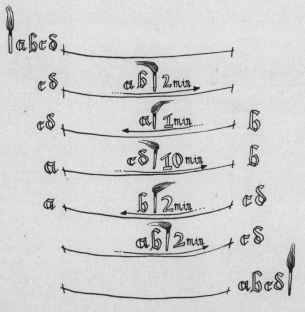

Solution du jeu p. 99

AGNÉTISME

On les met en forme de T.
Si rien ne se passe, c'est que
l'aimant est celui qui forme
la barre horizontale du T.

S'ils s'attirent ou se repoussent, l'aimant est celui qui est dans
le sens de la barre verticale du T.

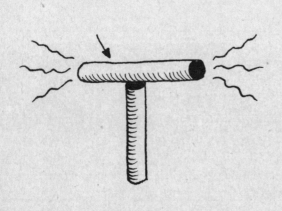

Solution du jeu p. 100

OT DE PASSE

Le légat du pape doit répondre « Quatre », qui correspond au nombre de lettres du chiffre prononcé par le garde.

Solution du jeu p. 101

ERRIÈRE LES BARREAUX

Le prisonnier, comme la plupart des gens, voit des points gris entre les carrés. Pourtant, ils n'existent pas !
Curieux, non ?

Solution du jeu p. 102

NGRENAGE

On a l'impression que les cercles tournent !
Curieux, non ?

Solution du jeu p. 103

Œ EUFS DE POULES

Deux cents œufs.
En effet, quatre cents poules pondent quatre cents
œufs en huit jours. Donc quatre cents poules pondent
deux cents œufs en quatre jours.

Solution du jeu p. 104

HATS

Les mêmes trois chats !
Si les trois chats prennent en moyenne une souris
à la minute, en cent minutes, ils attraperont cent souris.

Solution du jeu p. 105

LETTRENRÉBUS 15

L'Odyssée (d'Homère).
(H_2O = « EAU » + 10 « C ».)

Solution du jeu p. 106

ETTRENRÉBUS 16

C'est dans la poche.
(« C » dans la « poche ».)

Solution du jeu p. 107

 LESSURE

Le docteur est sa mère !

Solution du jeu p. 108

ULETIER

Il est à pied !

Solution du jeu p. 109

OUR D'HONNEUR

La figure représentant la cour d'honneur est composée de trente carrés :
– seize de taille 1 × 1 ;
– neuf de taille 2 × 2 ;
– quatre de taille 3 × 3 ;
– et un de taille 4 × 4.

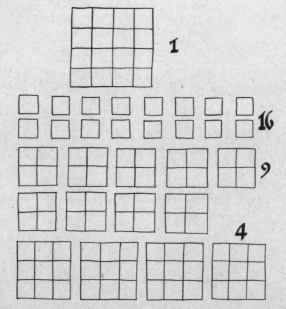

Solution du jeu p. 110

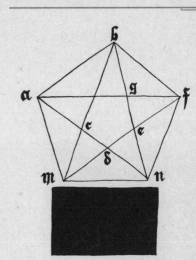

AOMPTEZ LES TRIANGLES

Il y a deux types de segments de droite : ceux du pentagone
et ceux de l'étoile.

Commençons par considérer les triangles ayant un côté commun avec
le pentagone. Pour un côté donné NM, on peut faire six triangles
(points A, B, C, D, E et F).

Si on applique cette constatation aux cinq côtés par rotation, on
se rend compte que certains triangles sont en double : ceux qui ont
deux côtés de commun avec le pentagone. Si on ne considère pas
le triangle qui passe au point F (triangle NMF), il n'y a pas de
triangle en double. Il y a donc cinq triangles par côté du pentagone :
vingt-cinq triangles sont ainsi répertoriés.

Nous avons traité tous les cas de triangle ayant au moins un côté de
commun avec le pentagone. Les autres triangles auront uniquement
des côtés sur l'étoile.

Considérons le segment AN. En dehors des triangles ayant des
côtés en commun avec le pentagone, on peut repérer les triangles
CDM et ANG. Ce sont les seuls triangles possibles sans côté
commun avec le pentagone. Ces triangles se retrouvent en cinq
exemplaires par rotation. Nous avons donc dix triangles ici.

Au total, nous avons trente-cinq triangles.

Solution du jeu p. 111

CINQ ALIGNEMENTS

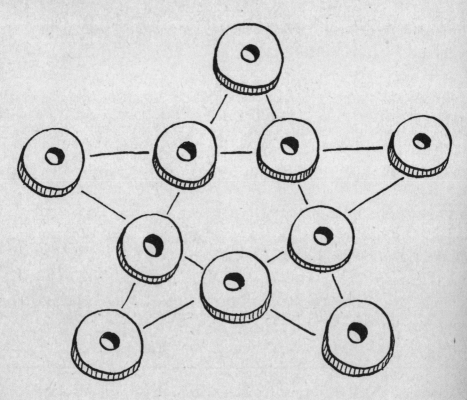

Solution du jeu p. 112

A TOUR, PRENDS GARDE !

123**4**		
23**4**	1	
3**4**	1	2
3**4**		12
4	3	12
1**4**	3	2
1**4**	23	
4	123	
	123	**4**
	23	1**4**
2	3	1**4**
12	3	**4**
12		3**4**
2	1	3**4**
	1	23**4**
		123**4**

Solution du jeu p. 113

 VOS PLUMES

Il faut suivre le chemin suivant :
- de A à B,
- puis la courbe supérieure jusqu'à E,
- puis joindre D,
- puis la courbe supérieure jusqu'à C,
- puis la ligne droite jusqu'à D,
- puis la courbe inférieure jusqu'à C,
- puis la ligne droite jusqu'à B,
- puis la courbe inférieure jusqu'à E,
- puis la ligne droite jusqu'à F.

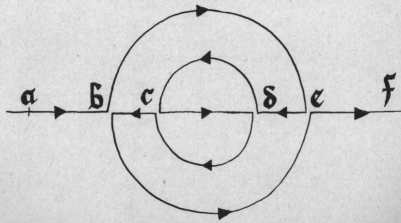

Solution du jeu p. 114

 OUR PAVÉE

Toutes les lignes sont parfaitement droites.
Curieux, non ?

Solution du jeu p. 115

BAS DE LAINE

Puisqu'il existe trois couleurs différentes, en sortant du coffre quatre bas de laine, Dame Brunehaut aura à coup sûr une paire unie.

Solution du jeu p. 116

OFFRETS

Il suffit aux bandits de jeter un coup d'œil dans le coffret qui porte l'inscription « pièces d'or et d'argent ».
En effet, puisqu'aucune inscription n'est à sa place, cela signifie que :
– s'ils voient une pièce d'or, ce coffret ne peut contenir que des pièces d'or,
– s'ils voient une pièce d'argent, ce coffret ne peut contenir que des pièces d'argent.

À partir de là, ils pourront déduire le contenu des deux autres coffrets.

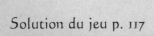

Solution du jeu p. 117

NZE RAMEAUX

La solution est deux.

L'explication est la suivante :

Yvain prend deux rameaux. L'autre chevalier peut prendre un, deux ou trois rameau(x). Dans ces différents cas de figure, Yvain prendra trois, deux ou un rameau(x), de façon à ramasser le sixième (il en restera alors cinq sur la table).

Dès lors, que son rival prenne un, deux ou trois rameau(x), Yvain en ramassera trois, deux ou un, laissant ainsi le dernier à l'autre chevalier.

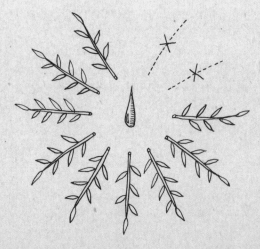

Solution du jeu p. 118

ES MOUTONS

Le vieux berger prête un mouton aux trois fils, ce qui porte le nombre de moutons à dix-huit.

Respectant la volonté de son vieil ami, il en donne la moitié au fils aîné, soit neuf moutons, le tiers au cadet, soit six moutons et le neuvième au dernier, soit deux moutons.

Ce qui fait un total de $9 + 6 + 2 = 17$ moutons.

Le testament ayant été respecté, le vieil homme peut ensuite récupérer son mouton.

Solution du jeu p. 119

ETTRENRÉBUS 17

À tombeau ouvert.
(« A » tombe + « O » ouvert.)

Solution du jeu p. 120

LETTRENRÉBUS 18

Il y a de l'eau dans le gaz.
(Il y a 2 « LO » dans le « GAZ ».)

Solution du jeu p. 121

VALEUR DU PRODUIT

La suite est égale à o car $(x - x)$ vaut o.

Solution du jeu p. 122

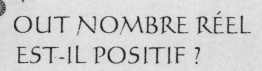

OUT NOMBRE RÉEL EST-IL POSITIF ?

L'erreur se trouve au niveau du passage de la ligne 2 à la ligne 3. La propriété citée n'est vraie que si x est positif ou nul.

Solution du jeu p. 123

LTERNANCE

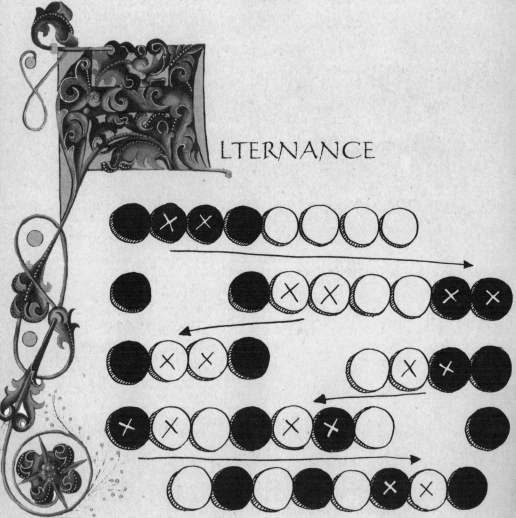

Soit quatre mouvements.

Solution du jeu p. 124

OURSE

Il faut verser le contenu de la deuxième bourse dans la cinquième et reposer la deuxième désormais vide à sa place d'origine.

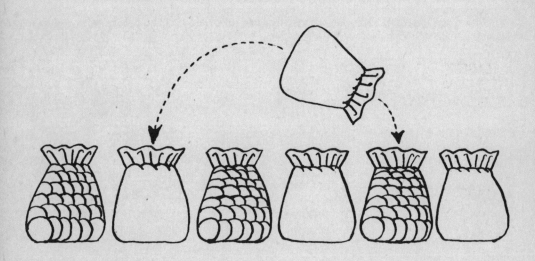

Solution du jeu p. 125

 ÉNÉFICE

Le marchand a fait un bénéfice de 20 deniers.
En effet, il gagne d'abord 10 deniers en revendant
80 deniers une étoffe achetée 70, puis 10 autres
en revendant 100 deniers une étoffe achetée 90.

Solution du jeu p. 126

 U MARCHÉ

Posons :

x = ce que dame Ermangarde a en entrant dans une échoppe.

y = ce qu'elle a en sortant de la même échoppe.

Ce qu'elle a dépensé (x − y) dans l'échoppe est donc x : 2 + 10

On peut écrire :

x − y = (x : 2 + 10)

x − x : 2 − 10 = y

x : 2 − 10 = y

x : 2 = y + 10

x = 2 × (y + 10)

Cette équation pourra être appliquée pour chaque échoppe.

Après la dernière échoppe, il ne lui reste plus rien ;
on peut donc poser y = 0 :

2 × (0 + 10) = 20

Elle avait donc 20 deniers en entrant dans la dernière
échoppe. Même calcul pour les précédentes :

2 × (20 + 10) = 60

2 × (60 + 10) = 140

2 × (140 + 10) = 300

2 × (300 + 10) = 620

Elle avait donc 620 deniers au départ.

Solution du jeu p. 127

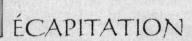

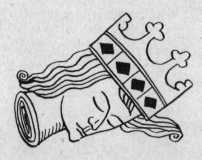 ÉCAPITATION

Les deux écuyers ont la tête tranchée… du roi !

Solution du jeu p. 128

ERRE VIDE

Une seule, car ensuite le hanap n'est plus vide !

Solution du jeu p. 129

LETTRENRÉBUS 19

(Être) un panier percé.
(Pas « NIÉ » percé.)

Solution du jeu p. 130

LETTRENRÉBUS 20

(Un) pavé dans la mare.
(Pas « V » dans la « MARE ».)

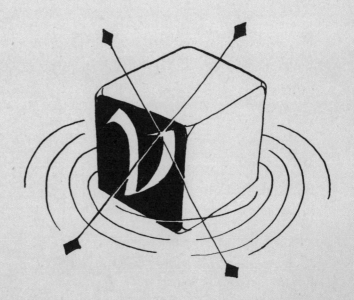

Solution du jeu p. 131

# HARADE D'IVROGNE

Delirium tremens.
(Délit - riz - homme très mince.)

Solution du jeu p. 132

BAL COSTUMÉ

Dans ce texte de Jacques Pépin, les initiales des mots utilisés suivent l'ordre alphabétique, d'abord de A à Z, puis de Z à A.

Solution du jeu p. 133

UATRE CARTES ET QUATRE LETTRES

Il faut en retourner trois. Trois cas différents :

• La carte G

Il faut la retourner pour vérifier qu'un L est placé derrière.

• La carte L

Il ne sert à rien de la retourner. Que la lettre qui est placée derrière cette carte soit un G ou non ne change rien à l'affaire.

• Les deux cartes D et P

Il faut les retourner. En effet, si une de ces cartes a un G sur sa seconde face, la proposition est fausse.

Solution du jeu p. 134

ASSE-TÊTE DE CARTES

On sait, grâce aux indices 1 et 3, que les cartes recherchées
sont un roi, un 5 et un 10.
Reste à déterminer leur couleur et leur place.
À partir de l'indice 2, on peut émettre trois hypothèses :

 Cette hypothèse est éliminée par l'indice 4.

 Cette hypothèse est éliminée par l'indice 3.

 Cette hypothèse est donc la bonne.

Pour finir, on sait de l'indice 3 que le 10 est à gauche du cœur
et de l'indice 1 que le 5 est à droite du roi.
La réponse est donc :

Solution du jeu p. 135

 ES MÈCHES

Merlin allume d'abord en même temps A, B et C.

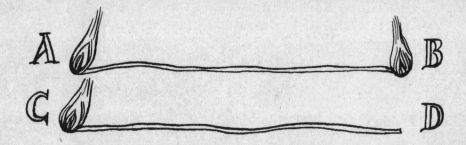

Lorsque la première mèche (A B) se sera entièrement consumée, il se sera écoulé 30 minutes. Merlin allumera alors la partie D...

... et les 30 minutes de mèche restante se consumeront en 15 minutes. 30 min + 15 min = 45 min.

Solution du jeu p. 136

 ADENAS

Après avoir déposé des mèches de ses cheveux dans la boîte,
Iseut doit la verrouiller avec son cadenas et l'expédier à Tristan.
Ce dernier réceptionnera la boîte, y ajoutera son propre cadenas
et la lui retournera.

Iseut recevra la boîte, enlèvera le cadenas qui lui appartient
et l'expédiera de nouveau à son amant qui, à sa réception, pourra
retirer son cadenas et ouvrir la fameuse boîte.

Solution du jeu p. 137

LIBELLULE

Les amants, progressant à la même vitesse, parcourent chacun 50 km à une vitesse de 10 km/h. Ils se retrouveront donc au bout de 5 heures. Ainsi, la libellule aura volé :

$$5 \times 150 = 750 \text{ km.}$$

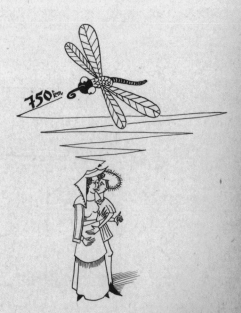

Solution du jeu p. 138

PALINDROME

Le palindrome suivant est 16061.
Le cavalier a donc parcouru 110 km en 2 heures,
ce qui signifie qu'il chevauche à une vitesse de 55 km/h.

Solution du jeu p. 139

UENIÈVRE

Partant d'un point quelconque de la circonférence de la tour,
la reine s'est d'abord dirigée vers le nord jusqu'à atteindre un autre
point de la circonférence de la tour. Puis elle a viré de 90°
vers l'ouest jusqu'à ce qu'elle rencontre à nouveau le mur.
Son trajet correspond aux deux petits côtés d'un triangle rectangle,
mesurant respectivement 30 et 40 toises.

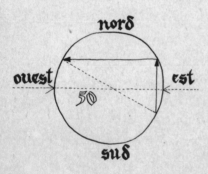

Or, l'hypoténuse d'un triangle
rectangle inscrit dans un cercle
coïncide avec son diamètre.
Sachant que le carré de l'hypoténuse
d'un triangle rectangle est égal à la
somme des carrés des deux autres
côtés, on a :

Hypothénuse^2 = 30^2 + 40^2

Hypothénuse^2 = 900 + 1 600 = 2 500

hypothénuse = $\sqrt{2\,500}$ = 50

La tour a un diamètre de 50 toises.

Solution du jeu p. 140

ÉNUPHAR

Il aurait fallu neuf ans.

Puisque chaque nénuphar double de superficie chaque année,
le nénuphar qui recouvrira entièrement la mare la dixième année ne
la recouvre que de moitié la neuvième année. Le deuxième nénuphar
également, donc à eux deux, ils la recouvrent entièrement.

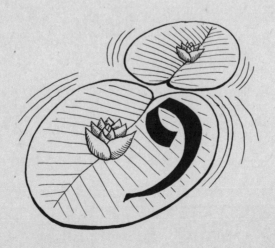

Solution du jeu p. 141

 ISEAU
DEVIENDRA DRAGON

Il est possible de transformer tous les oiseaux de l'enclos en dragons en quatre coups seulement :

Étape 1 - On ouvre la serrure 2.

Étape 4 - On ouvre la serrure 4.

Étapes 2 et 3 -
On ouvre les serrures 5 et 8.

Solution du jeu p. 142

 SCARGOT GRIMPEUR

Il atteint le haut du mur au soir du huitième jour :

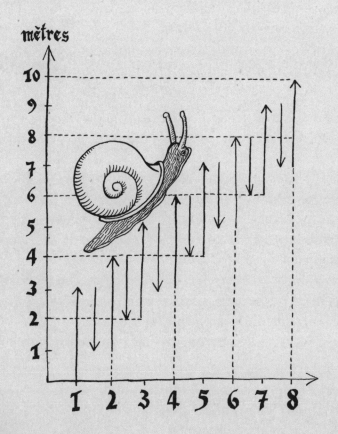

Solution du jeu p. 143

HASSE À L'OURS

L'ours est blanc. En effet, un tel phénomène n'est possible qu'aux endroits suivants :

1. Exactement au pôle Nord.

Les 10 km vers l'est ne sont pas en ligne droite : c'est un arc de cercle autour du pôle en restant à 10 km du pôle (à chaque instant, on va vers l'est). L'ours est un ours polaire, donc il est blanc.

2. Imaginons une latitude où il est possible de faire le tour de la Terre en 10 km. Cela existe près du pôle Sud et près du pôle Nord. Près du pôle Nord, il est à moins de 10 km du pôle, il n'est donc pas possible d'y arriver après avoir fait 10 km vers le sud. Prenons donc le côté pôle Sud.

On considère un cercle, parallèle à l'équateur (c'est-à-dire un parallèle), de circonférence de 10 km, et qui fait le tour de la Terre à cet endroit précis.

Partons d'un point situé à 10 km au nord de ce cercle. Faisons 10 km au sud (nous nous retrouvons sur ce cercle), 10 km à l'est (nous faisons le tour de la Terre et nous revenons à la position précédente), puis 10 km au nord (nous nous retrouvons au point de départ).

La seconde solution est donc : tous les points situés sur le parallèle qui se trouve à 10 km au nord d'un deuxième parallèle de 10 km de circonférence dans l'hémisphère Sud.

Dans ce cas, l'ours est blanc aussi.

Solution du jeu p. 144

# FFICHAGE DIGITAL

Au cours d'une journée, l'affichage va de 0:00 à 23:59.
Douze heures du jour contiennent le chiffre 1 :

1:00	13:00	17:00
10:00	14:00	18:00
11:00	15:00	19:00
12:00	16:00	21:00

De plus, au cours d'une même heure, le chiffre 1 apparaît
quinze fois aux minutes suivantes :

h:01	h:16	h:51
h:10	h:17	
h:11	h:18	
h:12	h:19	
h:13	h:21	
h:14	h:31	
h:15	h:41	

Ce qui donne donc, pour une journée de 24 heures :
$24 \times 15 = 360$ occurrences du chiffre 1.

$360 + 12 = 372$
Au total, le chiffre 1 apparaît donc 372 fois au cours
d'une journée.

Solution du jeu p. 145

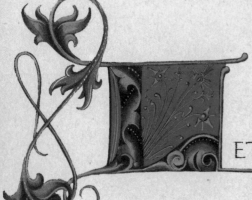 ETTRENRÉBUS 21

La Grande Vadrouille.
(« LA » grand + 2 « VA » + 2 « ROUILLE ».)

Solution du jeu p. 146

ETTRENRÉBUS 22

Des souris et des hommes (de John Steinbeck).
(« D » sous « RIZ » et des « OM ».)

Solution du jeu p. 147

ÉOMÈTRE

Solution du jeu p. 148

 N PRISON

Solution du jeu p. 149

 L'AUBERGE

Le problème est dans la somme de fin : 27 + 2 = 29

À la fin des échanges, la répartition est la suivante :

• Auberge : 27 sous dont :
  – Prix de la chambre : 25 sous
  – Pourboire : 2 sous
• Fripier : 1 sou
• Drapier : 1 sou
• Tapissier : 1 sou

Rien n'est perdu.

Les 2 sous de la somme 27 + 2 = 29

font déjà partie des 27.

27 (dont 2 [pourboire] + 25 [chambre]) + 3 [clients] = 30 [total]

ou encore :

30 [total] – 3 [clients] – 2 [pourboire] = 25 [chambre]

Tout va bien !

Solution du jeu p. 150

URDITÉ

L'abbé doit procéder ainsi :

• il doit dire au premier moine de donner le signal pour allumer le cierge, attendre 2 minutes puis lui demander de donner un autre signal pour éteindre le cierge ;

• il doit ensuite dire au deuxième moine de donner le signal pour allumer le cierge puis monter dans l'église :

– si le cierge est allumé, c'est que frère Benoît entend le deuxième moine,

– si le cierge est éteint mais que l'on peut voir un peu de cire fondue, c'est le premier moine que frère Benoît entend,

– si le cierge est éteint et froid, cela signifie que frère Benoît entend le troisième moine.

Solution du jeu p. 151

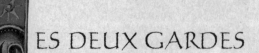

LES DEUX GARDES

Il doit demander à l'un des deux gardes :
« Quelle est la porte que m'indiquerait l'autre garde
comme étant la porte de la sortie ? »
Il lui suffira alors de prendre la porte opposée.

Solution du jeu p. 152

BONNE PIOCHE

Il suffit au prisonnier de piocher l'une des billes au hasard et de l'avaler sans la regarder. Ainsi, la seule façon de savoir quelle bille il aura pioché sera de regarder quelle bille restera dans le heaume, laquelle sera forcément noire.

Le roi, en présence de son peuple, devra se résigner à libérer son prisonnier.

Solution du jeu p. 153

ETTRENRÉBUS 23

(Mettre) de l'eau dans son vin.
(Deux « LO » dans son « 20 ».)

Solution du jeu p. 154

ETTRENRÉBUS 24

Bras dessus, bras dessous.

Solution du jeu p. 155

UN PEU DE CALCUL MENTAL

$$2 + 2 - 2 - 2 = 0$$
$$(2 : 2) \times (2 : 2) = 1$$
$$(2 : 2) + (2 : 2) = 2$$
$$(2 + 2 + 2) : 2 = 3$$
$$2 + 2 + 2 - 2 = 4$$
$$2 + 2 + (2 : 2) = 5$$
$$(2 \times 2 \times 2) - 2 = 6$$
$$(2 \times 2 \times 2) + 2 = 10$$
$$(2 + 2 + 2) \times 2 = 12$$

$$(3 + 3 + 3) : 3 = 3$$
$$((3 \times 3) + 3) : 3 = 4$$
$$3 + 3 - (3 : 3) = 5$$
$$3 + 3 + 3 - 3 = 6$$
$$3 + 3 + (3 : 3) = 7$$
$$(3 \times 3) - (3 : 3) = 8$$
$$(3 \times 3) + 3 - 3 = 9$$
$$(3 \times 3) + (3 : 3) = 10$$

$$((4 \times 4) - 4) : 4 = 3$$
$$((4 + 4) : 4) + 4 = 6$$
$$4 + 4 - (4 : 4) = 7$$
$$(4 \times 4) - 4 - 4 = 8$$
$$(4 \times 4) + 4 + 4 = 24$$
$$((4 + 4) \times 4) - 4 = 28$$
$$(4 \times 4) + (4 \times 4) = 32$$
$$(4 + 4 + 4) \times 4 = 48$$

$$(5 + 5 + 5) : 5 = 3$$
$$((5 - 5) \times 5) + 5 = 5$$
$$((5 \times 5) + 5) : 5 = 6$$
$$(5 \times 5) + (5 : 5) = 26$$
$$(5 + (5 : 5)) \times 5 = 30$$
$$(5 \times 5) + (5 \times 5) = 50$$
$$((5 + 5) \times 5) + 5 = 55$$
$$(5 \times 5 \times 5) - 5 = 120$$

Solution du jeu p. 156

# ADDITION

$$8 + 8 + 8 + 88 + 888 = 1000$$

Solution du jeu p. 157

29 FÉVRIER

Il aura 28 ans.

En effet, chaque année, la même date anniversaire se décale
d'un jour plus tard dans la semaine car 365 est un multiple
de 7 plus 1.
Pour les années bissextiles, qui comptent 366 jours, le décalage
est de deux jours.
Quatre ans séparent deux années bissextiles.
Entre deux 29 février, il y a donc cinq jours de décalage (3 + 2).
Ainsi, le premier 29 février après la naissance de l'enfant étant
décalé de cinq jours, ce sera un samedi.
Le deuxième tombera un jeudi, le troisième un mardi,
le quatrième un dimanche, le cinquième un vendredi,
le sixième un mercredi et enfin le septième un lundi.
Le fils de dame Gertrude aura donc 7 × 4 = 28 ans
la prochaine fois que son anniversaire tombera un lundi.

Solution du jeu p. 158

OMBRE DE JOURS

De janvier 1008 à décembre 1012, cinq ans se sont écoulés,
c'est-à-dire 5 × 12 = 60 mois.
Durant cette période, il y a donc eu soixante mois comportant
vingt-huit jours, puisque tous les mois comptent au moins
vingt-huit jours !

Solution du jeu p. 159

INQ TRIANGLES

On obtient : 1 grand triangle + 4 petits triangles = 5 triangles.

Solution du jeu p. 160

LLUMETTES (3)

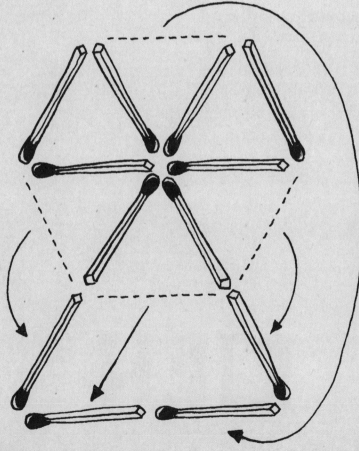

Solution du jeu p. 161

UNIVERSITÉ

La réponse est « rien ».
Rien n'est mieux que Dieu.
Rien n'est pire que le diable.
Les pauvres n'ont rien.
Les riches n'ont besoin de rien.
Et si l'on ne mange rien, on meurt.

Solution du jeu p. 162

 HARADE DE GOURMAND

Bavaroise au chocolat.
(Bavard - oiseau - chocolat.)

Solution du jeu p. 163

L'OMBRE DE LA TOUR

Aucune, le carré A est de même couleur que le carré B.
Curieux, non ?

Solution du jeu p. 164

COUPON DE TISSU

Jamais ! Les lignes obliques sont parallèles, elles ne peuvent donc pas se rejoindre.
Curieux, non ?

Solution du jeu p. 165

ETTRENRÉBUS 25

Mal en point.
(« MAL » en points.)

Solution du jeu p. 166

LETTRENRÉBUS 26

Filer entre les doigts.

Solution du jeu p. 167

 OUR DE PIÈCES

On note les cinq tas : A, B, C, D et E.
Les neuf manœuvres successives doivent partir,
dans l'ordre, des tas suivants : A, B, C, D, E, D,
C, B, A.

Solution du jeu p. 168

AGIQUE CARRÉ

Il y a deux réponses possibles :

Solution du jeu p. 169

RANCHES DE PÂTÉ

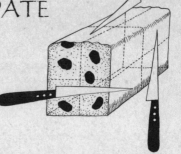

Deux solutions sont possibles :

– soit l'une des trois coupes doit
être faite dans le sens de l'épaisseur,

– soit le cuisinier peut couper une première fois le pâté en deux puis
superposer les moitiés obtenues. Ensuite, il coupe une deuxième
fois son pâté et obtient quatre tranches. Superposant une dernière
fois les quatre tranches, il coupe et obtient huit tranches de pâté
identiques.

Solution du jeu p. 170

ALETTES

Le boulanger doit faire cuire trois galettes, comportant chacune deux faces, que nous appellerons a et b.

La manière la plus rapide de cuire les trois galettes est la suivante :

étape 1 : galette 1 face a, et galette 2 face a

étape 2 : galette 2 face b, et galette 3 face a

étape 3 : galette 1 face b, et galette 3 face b

Chaque étape durant 3 minutes, il faudra 9 minutes au boulanger pour cuire les trois galettes.

Remarque : d'autres solutions existent, toujours avec le même nombre d'étapes.

Solution du jeu p. 171

UEL JOUR ?

Solution du jeu p. 172

ETRANGE DATE

Cette date peut être écrite sous la forme d'un palindrome, ce qui veut dire qu'elle peut se lire dans les deux sens : 29/11/1192 ou 2911/11/92.

Solution du jeu p. 173

ETIT RECTANGLE DEVIENDRA CARRÉ

La surface du rectangle formé par le parchemin est de 2 ($\ell \times L = 2 \times 1 = 2$). Donc le côté du carré doit être de 2.

On découpe donc le parchemin de façon à faire apparaître des segments de droite de longueur égale à 2 :

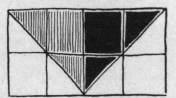

On réarrange comme ceci :

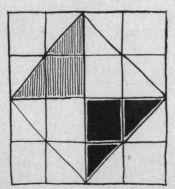

Et le rectangle s'est transformé en carré !

Solution du jeu p. 174

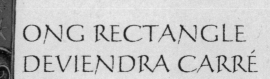

ONG RECTANGLE DEVIENDRA CARRÉ

La surface du rectangle formé par le parchemin est de 5 $(\ell \times L = 1 \times 5 = 5)$. Donc le côté du carré doit être de 5.

On découpe donc le parchemin de façon à faire apparaître des segments de droite de longueur égale à 5.

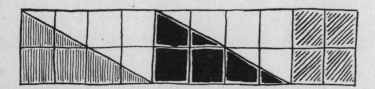

On réarrange comme ceci :

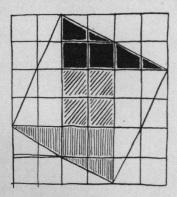

Et le long rectangle s'est transformé en carré !

Solution du jeu p. 175

ETTRENRÉBUS 27

Tête au carré.

Solution du jeu p. 176

# LETTRENRÉBUS 28

Couper les cheveux en quatre.

Solution du jeu p. 177

ETTRENRÉBUS 29

Tomber dans les pommes.

Solution du jeu p. 178

ETTRENRÉBUS 30

En coup de vent.
(En « KOU » 2 « VAN ».)

KVANOVANU

Solution du jeu p. 179

LLÉGEANCE

Il n'existe que trois combinaisons de vérité et de mensonge :

Si		Alors		Possible
sire Thomas dit	sire Robert dit	sire Thomas sert	sire Robert sert	
Vrai	Faux	prince Jean	prince Jean	Non
Faux	Vrai	roi Richard	roi Richard	Non
Faux	Faux	roi Richard	prince Jean	Oui

On s'aperçoit que seule la troisième combinaison est possible et donc que les deux mentaient, ce qui veut dire que sire Thomas sert le roi Richard et sire Robert le prince Jean.

Solution du jeu p. 180

ERFS

Si l'affirmation de dame Marguerite est vraie, alors celle de sa fille l'est également, ce qui est impossible puisque l'on sait qu'un seul propos est vrai.
Reste l'affirmation d'Eudes, mais si elle est vraie, alors celle de sa sœur l'est également, ce qui est toujours impossible.
Il n'y a donc aucun serf qui travaille sur les terres du duc de Bourgogne.

cent sans serfs !

Solution du jeu p. 181

413

 UEULES CASSÉES

30 % ont leurs deux yeux,

25 % leurs deux oreilles,

20 % leurs deux bras,

et 15 % leurs deux jambes.

Donc 90 % au moins ne cumulent pas les quatre handicaps.

Ce qui fait 10 % au minimum à qui il manque à la fois un œil, une oreille, un bras et une jambe.

Solution du jeu p. 182

PATTES DE LAPINS

Soit x le nombre de poulets et y le nombre de lapins.

Le nombre de têtes est donc x + y et vaut 8.

Le nombre de pattes est donc 2x + 4y et vaut 28.

Posons :

[1] x + y = 8

[2] 2x + 4y = 28

L'égalité [1] nous donne : x = 8 – y [3]

En remplaçant x par cette valeur dans [2],

nous obtenons :

2(8 – y) + 4y = 28

16 – 2y + 4y = 28

2y = 12

y = 6

De l'égalité [3], nous obtenons :

x = 2

Landry a donc deux poulets et six lapins.

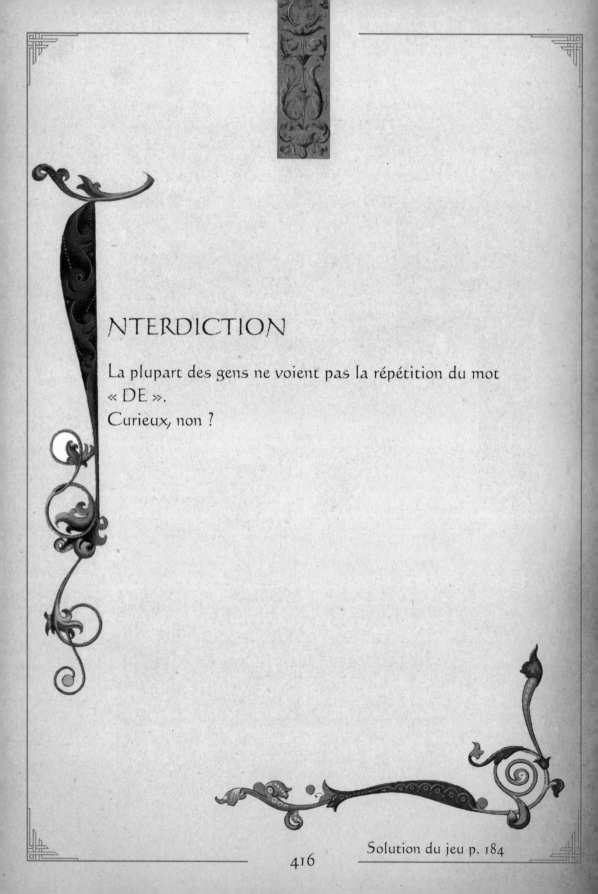

INTERDICTION

La plupart des gens ne voient pas la répétition du mot
« DE ».
Curieux, non ?

Solution du jeu p. 184

 FFF

Ce texte comporte six « F ».
La plupart des personnes oublient les « F » de « OF », et vous ?

Solution du jeu p. 185

HISKY

Cette phrase utilise les vingt-six lettres de l'alphabet.

26

>alphabet<

Solution du jeu p. 186

ESSAGE SECRET

Il suffit de lire une ligne sur deux pour découvrir
la proposition quelque peu triviale adressée
par George Sand à Alfred de Musset !

Solution du jeu p. 187

UITE LOGIQUE 4

Chaque terme de cette suite correspond au nombre de lettres composant le nom du chiffre précédent (« cinq » comporte quatre lettres, « quatre » en comporte six, « six » en comporte trois…).

Solution du jeu p. 188

ÉQUATION EN CHIFFRES ARABES

$$545 + 5 = 550$$

Le « + » devient « 4 ».

Solution du jeu p. 189

TOUR DE GUET

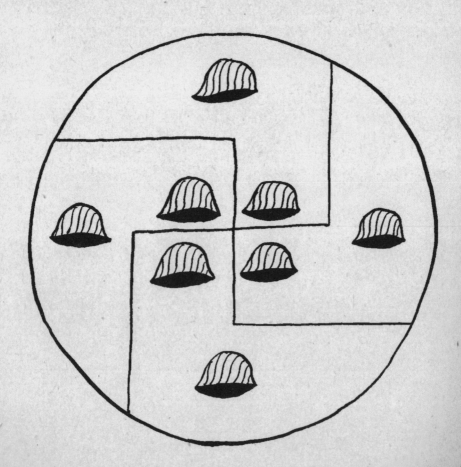

Solution du jeu p. 190

 IGNES DROITES

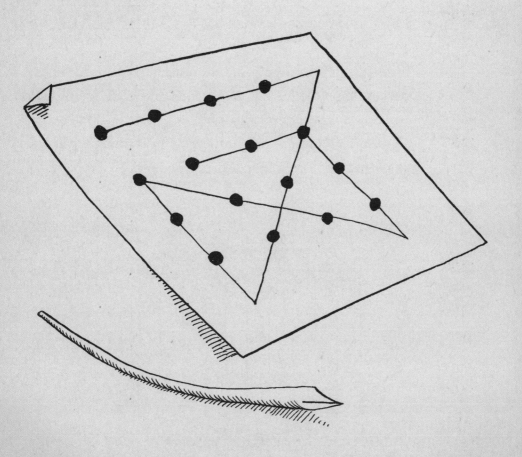

Solution du jeu p. 191

 E VER
ET LE MANUSCRIT

Le ver aura parcouru 40,5 cm et non pas 49,5 cm.

En effet, la première page du volume I et la dernière
du volume X ne sont pas aux extrémités de la collection.
Si vous avez du mal à visualiser, prenez un livre
en ayant repéré l'emplacement de la première page
et rangez-le dans votre bibliothèque, vous verrez !

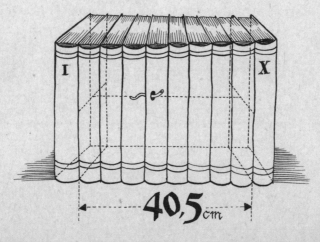

Solution du jeu p. 192

CROISEMENT

Puisqu'elles se croisent, cela signifie que les deux communautés seront évidemment à la même distance de Cluny au moment où elles se rencontreront !

Solution du jeu p. 193

ETTRENRÉBUS 31

(Avoir) une idée derrière la tête.
(« ID » derrière la « TET ».)

Solution du jeu p. 194

 ETTRENRÉBUS 32

Quand le chat n'est pas là, les souris dansent.
(Quand le « CHAT » n'est pas là, « LÉ » sous
« RI » dans « SE ».)

Solution du jeu p. 195

ETTRENRÉBUS 33

Le bec dans l'eau.
(Le « BEK » dans l' « O ».)

Solution du jeu p. 196

LETTRENRÉBUS 34

Blanchir quelqu'un.

Noircir le tableau.

Solution du jeu p. 197

SUITE LOGIQUE 5

Il suffit d'écrire ce qu'on lit :
Un 1 : 11
Deux 1 : 21
Un 2, un 1 : 1211
Un 1, un 2, deux 1 : 111221
Trois 1, deux 2, un 1 : 312211

Le nombre suivant est donc :
Un 3, un 1, deux 2, deux 1 : 13112221

Solution du jeu p. 198

AS DE 4 DANS LA SUITE

Faisons l'hypothèse qu'un 4 apparaisse sur une ligne.
Ce 4 doit forcément avoir un caractère à sa droite
(seul le 1 finit les lignes). Supposons que cela soit un x.
La ligne [II] comporterait donc quatre x consécutifs :

[I]   ....
[II]   ....axxxxb....
[III]   .... 4x ....

Or on peut décomposer chaque ligne en couples, d'abord
un quantifiant (qui définit qu'il y a tant de chiffres x), puis
un quantifié (le chiffre x qui se trouvait sur la ligne précédente).
On peut donc lire la ligne [II] de deux façons : soit a est
le quantifié (hypothèse 1), soit il est le quantifiant (hypothèse 2).

Premier cas, a est le quantifié ; le découpage en couples se fait ainsi :
[II] ... a xx xx b...
La ligne [I] serait donc :
x en x exemplaires puis x en x exemplaires :
[I] ... xxxxxxx xxxxxxx ...
      x fois   x fois
Or cela est impossible car on lirait ainsi la ligne [II] :
[II] ... a(2x)xb...
Ce qui n'est pas vrai, donc l'hypothèse est fausse.

Second cas, a est le quantifiant ; le découpage en couples se fait ainsi :
[II] ... ax xx xb....
La ligne [I] serait donc :
x en a exemplaires puis x en x exemplaires et enfin b en x exemplaires :

[I] ... xxxxxxx xxxxxxx bbbbbbbb...
      a fois   x fois   x fois
Encore une fois, dans ce cas, la ligne [II] se lirait : [II] ... (a + x)x + xb...
Ce qui n'est pas vrai, donc l'hypothèse est fausse.
Conclusion : dans tous les cas, l'hypothèse est fausse. Donc il n'y a
pas de 4 dans cette suite de chiffres. On montrerait la même chose pour
tout nombre supérieur à 4 ; chaque ligne est donc composée uniquement
de 1, de 2 et de 3.

Solution du jeu p. 199

 LA PÊCHE

En fait, il y a trois personnes, le grand-père, le père et le fils – ce qui fait bien deux pères accompagnés de leur fils – qui vont à la pêche, et non pas quatre.

Solution du jeu p. 200

HARRETTE

Qui a dit qu'il faisait nuit ?

Solution du jeu p. 201

 ANS LA BOURSE

L'une des pièces n'est pas une pièce de 10 deniers, mais l'autre l'est, donc la bourse du singe voleur contient une pièce de 20 deniers et une pièce de 10 deniers.

Solution du jeu p. 202

HAÎNE

L'astuce consiste à briser les trois maillons d'un même morceau, ce qui coûtera 15 livres.

Puis, avec trois soudures, on raccorde les trois autres morceaux, ce qui coûtera 30 livres. Au total, sire Godefroy aura dépensé 45 livres.

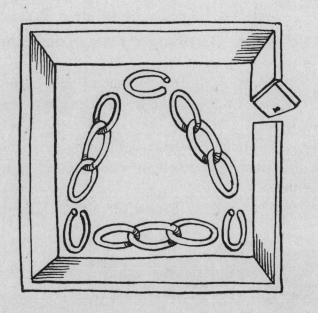

Solution du jeu p. 203

JEU À TROIS

Comme 9 est impair, seul Eberulf a pu perdre la dernière partie. Avant celle-ci, leurs avoirs étaient :
4 / 18 / 5 (manche n° 5).

Même méthode pour les tours précédents :
Léandre a perdu la manche n° 4 et chacun avait en poche au début :
2 deniers (Martin), 9 deniers (Eberulf) et 16 deniers (Léandre).
Eberulf a perdu la manche n° 3 et chacun avait en poche au début :
1 denier (Martin), 18 deniers (Eberulf) et 8 deniers (Léandre).
Martin a perdu la manche n° 2 et chacun avait en poche au début :
14 deniers (Martin), 9 deniers (Eberulf) et 4 deniers (Léandre).
Eberulf a perdu la manche n° 1 et chacun avait en poche au début :
7 deniers (Martin), 18 deniers (Eberulf) et 2 deniers (Léandre).

Solution du jeu p. 204

NCRIER

Soit x le coût de la plume.

Le coût de l'encrier est égal à $x + 10$

La somme des deux objets vaut $x + x + 10 = 11$

Donc $2x + 10 = 11$

$$2x = 11 - 10 = 1$$

$$x = 1 : 2 = 0,5$$

La plume vaut donc 0,50 denier et l'encrier 10,50 deniers.

Solution du jeu p. 205

REMPLIN

Il faut au minimum quinze coups pour inverser l'ordre des pions dans cette configuration.

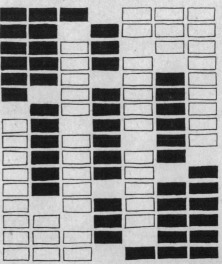

Solution du jeu p. 206

 ATHÉDRALE

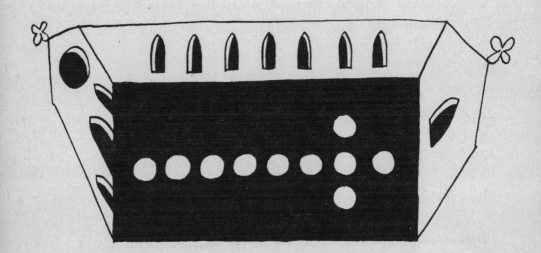

Solution du jeu p. 207

EUX FRÈRES

De la première à la douzième tour, il y a onze intervalles
(12 – 1 = 11) alors que de la douzième à la vingt-quatrième tour,
il y en a douze (24 – 12 = 12) !
Pierre a donc fait un trajet plus court.

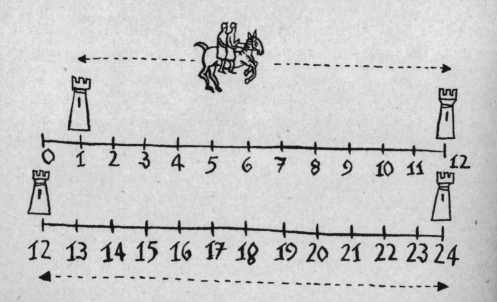

Solution du jeu p. 208

UELS

Puisque chaque duel élimine un chevalier et qu'il n'en reste qu'un, le nombre de duels est n − 1.

ETTRENRÉBUS 35

(Mettre) les petits plats dans les grands.

(Les petits « PLA » dans les grands.)

Solution du jeu p. 210

ETTRENRÉBUS 36

C'est d'enfer !
(« C » dans « FER ».)

Solution du jeu p. 211

ETTRENRÉBUS 37

Joindre les deux bouts.

Solution du jeu p. 212

 ETTRENRÉBUS 38

Le Misanthrope (de Molière).
(« LE » mis en « TROPE ».)

Solution du jeu p. 213

ROIS FILLES

Voici les facteurs premiers de 36 : 3 × 3 × 2 × 2.

Donc les combinaisons envisageables sont :

- 36, 1, 1 → dont la somme est égale à 38.
- 18, 2, 1 → dont la somme est égale à 21.
- 12, 3, 1 → dont la somme est égale à 16.
- 9, 4, 1 → dont la somme est égale à 14.
- 9, 2, 2 → dont la somme est égale à 13.
- 6, 6, 1 → dont la somme est égale à 13.
- 6, 3, 2 → dont la somme est égale à 11.
- 4, 3, 3 → dont la somme est égale à 10.

Contrairement à nous, la paysanne connaît le nombre d'œufs que son interlocutrice a dans son panier. Par exemple, si ce nombre était 38 ou 11, elle annoncerait tout de suite la solution ; si elle ne la trouve pas, c'est qu'elle est sur le seul cas litigieux : 13.

Donc les âges sont soit (6, 6, 1), soit (9, 2, 2).

Parmi ces deux configurations, seule (9, 2, 2) comporte une seule aînée, l'autre comportant des jumelles aînées. Les filles ont donc neuf ans pour l'aînée et deux ans pour les jumelles.

Solution du jeu p. 214

 OSIER

Le rosier mesure 60 cm (30 cm + la moitié de 60 cm, soit 30 cm).

60cm

Solution du jeu p. 215

IERGES

Quatre.

En effet, avec les neuf bouts de cierges, il en fabrique trois nouveaux, qui brûleront. De ces trois nouveaux cierges resteront alors trois bouts de cierges, qui lui permettront de reconstituer un quatrième cierge.

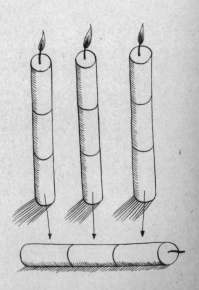

Solution du jeu p. 216

INCENDIE

Le roi donne à ses hommes l'ordre de s'arrêter et allume un feu devant eux. Grâce au vent soufflant à 80 km/h, le feu se propagera à l'avant plus rapidement que les troupes n'avanceront. Louis IX n'aura plus alors qu'à donner le signal du départ à ses troupes, qui chemineront sans danger dans la zone incendiée.

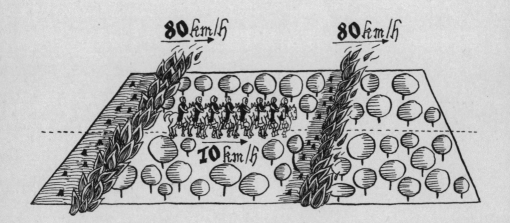

Solution du jeu p. 217

RIANGLE RENVERSANT

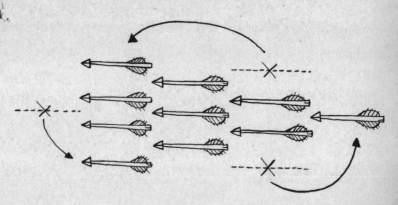

Solution du jeu p. 218

 OSACE

Aucun, les deux cercles gris ont le même diamètre.
Curieux, non ?

Solution du jeu p. 219

UITE LOGIQUE 6

On remarque que les premières cases sont occupées par les chiffres de 1 à 7 accolés à leur symétrique horizontal. Les symboles manquants sont donc :

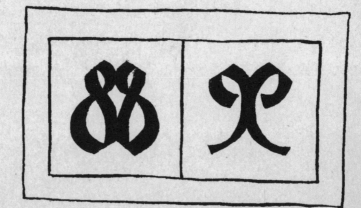

Solution du jeu p. 220

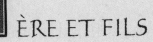ÈRE ET FILS

Le double de l'année en cours.

Solution du jeu p. 221

ETTRENRÉBUS 39

Une ombre au tableau.

Solution du jeu p. 222

LETTRENRÉBUS 40

Les jours se suivent et ne se ressemblent pas.

Solution du jeu p. 223

ETTRENRÉBUS 41

La Panthère rose.
(« LAP » en « TERROZ ».)

TERLAPROZ

Solution du jeu p. 224

 ETTRENRÉBUS 42

Impossible (n'est) pas français.
(Un « PO » six « BLE » pas français, symbolisé par le coq gaulois.)

Solution du jeu p. 225

ORTURE

Déclarez ceci : « Je vais être écartelé ! »

Le bourreau se trouvera alors face à ce paradoxe : s'il vous écartelait, votre énoncé serait vrai, il devrait donc vous faire brûler vif.

Et s'il vous faisait brûler vif, votre énoncé serait faux.

Ne pouvant trouver de façon de vous faire mourir sans se renier, avec un peu de chance, il vous laissera partir !

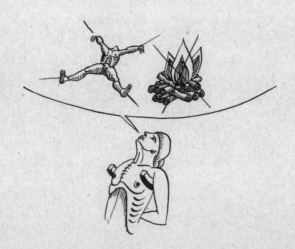

Solution du jeu p. 226

A LANCE

Le chevalier a acheté un étui rectangulaire de quatre pieds
sur trois.

En effet, la diagonale de l'étui, matérialisée par la lance, correspond
à l'hypoténuse d'un triangle rectangle dont les deux autres côtés
sont la longueur (L) et la largeur (ℓ) de l'étui.

Rappel : le carré de l'hypoténuse d'un triangle rectangle est égal
à la somme des carrés des deux côtés.

Ici : $L^2 + \ell^2 = 5^2 = 25$

$4^2 + 3^2 = 5^2$

$L = 4$

$\ell = 3$

La longueur de l'étui étant égale à quatre pieds, le garde ne peut
plus refuser l'entrée au chevalier.

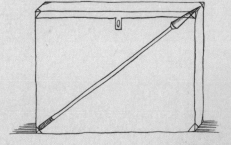

Solution du jeu p. 227

SCALIER

S'ils unissaient leurs forces, il faudrait deux semaines aux deux architectes pour achever l'escalier, l'architecte florentin bâtissant un tiers de l'escalier et son homologue flamand bâtissant les deux tiers restants.

Solution du jeu p. 228

N MILLION DE CHEVEUX

La réponse est oui. Si le nombre d'habitants est supérieur au nombre maximum de cheveux sur n'importe quelle tête, alors il y a forcément un nombre insuffisant de « cheveux sur la tête » pour que tous soient pourvus différemment.

Certains habitants du royaume de France avaient obligatoirement le même nombre de cheveux sur la tête.

Et pour les poux ?

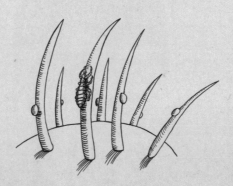

Solution du jeu p. 229

ROIS SUISSES

Les trois Suisses sont... des femmes !

Solution du jeu p. 230

 AISON PLEIN SUD

La maison se situe au pôle Nord !

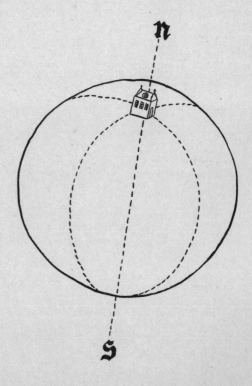

Solution du jeu p. 231

ETTRENRÉBUS 43

Passer entre les gouttes.
(Pas « C » entre les « GOUTTES ».)

Solution du jeu p. 232

 ETTRENRÉBUS 44

(Avoir) quelqu'un dans le nez.
(« KELKUN » dans le « NEZ ».)

nkelekun3

Solution du jeu p. 233

PASSE-TEMPS

Il renverse les 2 sabliers, jusqu'à ce que le petit soit vide, soit 4 minutes.

Il retourne le petit et le laisse s'écouler jusqu'à ce que le gros soit vide, soit 7 minutes.

Il retourne le gros et le laisse s'écouler jusqu'à ce que le petit soit vide. 8 minutes se sont donc écoulées.

Enfin, il retourne le gros et attend qu'il soit vide. Il peut alors enlever sa sauce du feu, car 9 minutes se sont écoulées.

Solution du jeu p. 234

E MOT DE LA FIN

À un de ces quatre !

Solution du jeu p. 235

Mise en page : les PAOistes

Imprimé en Espagne par Estella Graficas

Dépôt légal : 83703 - février 2007
ISBN 978-2-501-04932-0
Edition 05